LIVRE DE CUISINE SUR LA FABRICATION DU FROMAGE POUR LES DÉBUTANTS

50 RECETTES FACILES ET AMUSANTES

POUR UN MODE DE VIE SAIN

ALEXIANE GAUDIN

TABLE DES MATIÈRES

INTRODUCTION

Bienvenue dans la fabrication du fromage!

Tout le monde aime le fromage, mais qu'est-ce que c'est vraiment et pourquoi ne le faisons-nous pas plus souvent à la maison? Le fromage est un produit laitier dérivé du lait qui est produit dans une large gamme de saveurs, de textures et de formes par coagulation de la caséine de protéine du lait. Il contient des protéines et des matières grasses du lait, généralement le lait de vache, de buffle, de chèvre ou de mouton.

La plupart des fromages faits maison sont fabriqués à partir de lait, de bactéries et de présure. Le fromage peut être fabriqué à partir de presque tous les types de lait, y compris de vache, de chèvre, de mouton, écrémé, entier, cru, pasteurisé et en poudre.

La fabrication artisanale du fromage diffère de la fabrication commerciale du fromage par sa taille et par la nécessité de produire des produits en double exact jour après jour pour les marchés de détail.

Les fromagers commerciaux utilisent les mêmes ingrédients que les fromagers à domicile, mais ils doivent obtenir des certifications locales et suivre des réglementations strictes. Si vous souhaitez vendre votre fromage, il est important de commencer par fabriquer du fromage simple.

Qu'est-ce qui rend chaque fromage si différent lorsque différents types de fromage utilisent les mêmes ingrédients? À première vue, il peut sembler que différents types de fromages sont fabriqués de la même manière. Cependant, les différences dans le fromage proviennent de très légères variations dans le processus. Le cheddar et le colby, par exemple, sont très similaires au départ, mais Colby a une étape où de l'eau est ajoutée au caillé, ce qui en fait un fromage plus humide que le cheddar.

Parmi les autres facteurs qui jouent un rôle dans le fromage final, citons la quantité de culture, le temps d'affinage, la quantité de présure et la taille du caillé, la durée et la hauteur du chauffage du lait, la durée de brassage du caillé et la manière dont le lait est chauffé. le lactosérum est retiré. Des changements mineurs dans l'un de ces domaines peuvent faire une différence dramatique dans le fromage final.

Le rendement en fromage d'un gallon de lait est d'environ une livre pour le fromage à pâte dure et deux livres pour le fromage à pâte molle.

Lorsque vous achetez des fournitures de fabrication de fromage, il est judicieux de trouver d'abord une recette de fabrication de fromage, puis de commencer à dresser une liste des ingrédients et de l'équipement dont vous aurez besoin pour fabriquer votre fromage.

FROMAGE CLASSIQUE

1. **Mascarpone**

DONNE 12 onces

- 2 tasses de crème épaisse pasteurisée sans épaississants
- 1 tasse de lait écrémé en poudre
- 1 citron, coupé en deux

a) Assemblez votre équipement, vos fournitures et vos ingrédients, y compris un thermomètre pour produits laitiers ou de cuisine; nettoyez et stérilisez votre équipement au besoin et posez-le sur des torchons propres.

b) Dans une casserole non réactive et épaisse de 2 litres avec un couvercle, fouetter ensemble la crème et le lait en poudre. Placer à feu doux et porter lentement à 180 ° F, en remuant constamment pour éviter de brûler. Cela devrait prendre environ 40 minutes pour arriver à la température. Éteignez le feu.

c) Pressez lentement le jus de la moitié du citron dans la crème. Passer à une cuillère en métal et continuer à remuer; n'utilisez pas de fouet, car cela empêcherait la formation de caillé. Surveillez attentivement pour voir si la crème commence à coaguler. Vous ne verrez pas de rupture nette entre le caillé et le lactosérum. Au contraire, la crème enrobera la cuillère et vous commencerez à voir des solides dans la crème.

d) Ajouter le jus de la moitié de citron restant et remuer avec la cuillère pour incorporer. Couvrir la casserole et laisser refroidir la crème au réfrigérateur pendant 8 heures ou toute la nuit.

e) Lorsque la crème est ferme au toucher, transférez-la dans un bol ou une passoire tapissée de mousseline de beurre propre et humide. Rassemblez les extrémités et tordez-les en boule pour éliminer l'excès d'humidité. Cette dernière étape rendra le mascarpone épais.

2. Panir faible en gras

DONNE 12 à 14 onces

- 2½ litres de lait de vache pasteurisé ou cru à teneur réduite en matières grasses (2 pour cent)
- 5 tasses de babeurre, fait maison (voir la variante Crème Fraîche) ou du commerce
- 1 cuillère à café de sel de mer

a) Assemblez votre équipement, vos fournitures et vos ingrédients, y compris un thermomètre pour produits laitiers ou de cuisine; nettoyez et stérilisez votre équipement au besoin et posez-le sur des torchons propres.

b) Mettez le lait réduit en gras dans une marmite non réactive et épaisse de 4 litres à feu moyen-doux et portez-le lentement à 175 ° F à 180 ° F. Cela devrait prendre environ 40 minutes pour arriver à la température. Éteignez le feu.

c) Versez le babeurre et remuez doucement avec un fouet juste pour combiner. La coagulation commencera immédiatement et le caillé commencera à se former après environ 2 minutes. Augmentez lentement la température à 195 ° F, en remuant doucement avec une spatule. Vous verrez une séparation évidente du caillé et du lactosérum. À l'aide d'une spatule en caoutchouc, remuez doucement jusqu'à ce que la majorité du caillé de revêtement se soit attaché à la plus grande masse, environ 10 minutes de plus. Retirer du feu et remuer doucement sur le pourtour du caillé avec la spatule en caoutchouc. Couvrir et laisser mûrir le lait pendant 5 minutes.

d) Placez une passoire non réactive sur un bol ou un seau non réactif suffisamment grand pour capturer le lactosérum. Tapissez-le de mousseline de beurre propre et humide et versez-y doucement le caillé. Faire un sac égouttoir: Nouez deux coins opposés de la mousseline de beurre et répétez avec les deux autres coins. Glissez une cheville ou une cuillère en bois sous les nœuds pour suspendre le sac au-dessus du récipient de récupération du lactosérum, ou suspendez-le au-dessus de l'évier de la cuisine à l'aide de la ficelle de cuisine attachée autour du robinet. Laissez le caillé s'égoutter pendant 5 minutes, puis ouvrez le chiffon, répartissez le sel sur le caillé et mélangez doucement le caillé avec vos mains pour l'incorporer. Attachez-le et laissez égoutter pendant 10 minutes de plus, ou jusqu'à ce que le lactosérum cesse de couler. Jetez le lactosérum ou réservez-le pour un autre usage.

e) Pendant que le caillé est encore chaud, ouvrez le chiffon et façonnez le caillé en une brique d'environ ¾ à 1 pouce d'épaisseur. Enroulez le caillé confortablement dans le même tissu pour maintenir la forme. Placez le paquet de caillé sur un égouttoir au-dessus d'un plateau et placez le poids sur le dessus. Presser et égoutter pendant au moins 30 minutes, ou plus pour un fromage plus sec.

f) Retirez le chiffon. Le fromage sera sec et se sera formé en une brique solide. Si vous ne l'utilisez pas le même jour, enveloppez fermement le fromage dans une pellicule plastique et conservez-le au réfrigérateur jusqu'à 4 jours ou scellez-le sous vide et congelez-le jusqu'à 2 mois.

3. Queso blanco

FAIT 1 livre

- 1 gallon de lait de vache entier pasteurisé
- À propos ⅓ tasse de vinaigre de cidre ou de vinaigre blanc distillé
- 1 cuillère à café de sel casher (de préférence de la marque Diamond Crystal)

a) Assemblez votre équipement, vos fournitures et vos ingrédients, y compris un thermomètre pour produits laitiers ou de cuisine; nettoyez et stérilisez votre équipement au besoin et posez-le sur des torchons propres.

b) Chauffer le lait dans une marmite non réactive et épaisse de 6 litres à feu moyen à 195 ° F, en remuant de temps en temps pour éviter que le lait ne brûle. Il faut environ 25 à

30 minutes pour amener le lait à température. Éteignez le feu.

c) Incorporer ⅓tasse de vinaigre à l'aide d'un fouet. Couvrir, retirer du feu et laisser reposer 10 minutes. La protéine du lait se coagulera en caillé solide et le lactosérum liquide sera presque clair et de couleur vert clair. Selon le lait utilisé, si le lactosérum est encore un peu trouble ou s'il y a de petits morceaux de caillé visibles dans le lactosérum, vous devrez peut-être ajouter un peu plus de vinaigre pour coaguler complètement le caillé. Si c'est le cas, ajoutez 1 cuillère à café à la fois et remuez le vinaigre avec une spatule en caoutchouc jusqu'à ce que le reste du caillé se forme.

d) Placez une passoire non réactive sur un bol ou un seau non réactif suffisamment grand pour capturer le lactosérum. Tapissez-le de mousseline de beurre propre et humide et versez-y doucement le caillé. Laisser égoutter le caillé pendant 5 minutes.

e) Répartissez le sel sur le caillé et mélangez doucement le caillé avec vos mains pour l'incorporer. Faites attention de ne pas briser le caillé dans ce processus.

f) Faire un sac égouttoir: Nouez deux coins opposés de la mousseline de beurre et répétez avec les deux autres coins. Glissez une cheville ou une cuillère en bois sous les nœuds pour suspendre le sac au-dessus du récipient de récupération du lactosérum, ou suspendez-le au-dessus de l'évier de la cuisine à l'aide de la ficelle de cuisine attachée autour du robinet. Laissez le caillé s'égoutter pendant 1 heure ou jusqu'à ce que le lactosérum ait cessé de couler. Jetez le lactosérum ou réservez-le pour un autre usage.

g) Retirez la masse solide de fromage du chiffon et placez-la dans un contenant hermétique ou enveloppez-la hermétiquement dans une pellicule plastique et réfrigérez jusqu'au moment de l'utiliser.

4. Ricotta au lait entier

FAIT 1 livre

- 1 gallon de lait de vache entier pasteurisé ou cru
- ½ tasse de crème épaisse
- 1 cuillère à café d'acide citrique en poudre
- 2 cuillères à café de sel casher (de préférence de la marque Diamond Crystal)

a) Assemblez votre équipement, vos fournitures et vos ingrédients, y compris un thermomètre pour produits laitiers ou de cuisine; nettoyez et stérilisez votre équipement au besoin et posez-le sur des torchons propres.

b) Dans une marmite épaisse et non réactive de 6 litres, mélanger le lait, la crème, l'acide citrique et 1 cuillère à café de sel et bien mélanger avec un fouet. Placer à feu moyen-doux et chauffer lentement le lait entre 185 ° F et 195 ° F. Cela devrait prendre environ 15 à 20 minutes. Remuez fréquemment avec une spatule en caoutchouc pour éviter de brûler.

c) Lorsque le lait atteint la température désirée, vous verrez le caillé commencer à se former. Lorsque le caillé et le lactosérum se séparent et que le lactosérum est vert jaunâtre et légèrement trouble, retirez du feu. Passez doucement une fine spatule en caoutchouc autour du bord du caillé pour faire tourner la masse. Couvrir la casserole et laisser durcir le caillé sans déranger pendant 10 minutes.

d) Placez une passoire non réactive sur un bol ou un seau non réactif suffisamment grand pour capturer le lactosérum. Tapissez-le de mousseline de beurre propre et humide et versez-y doucement le caillé. Utilisez un écumeur à mailles à long manche pour capturer le dernier caillé. Si des caillés sont collés au fond de la casserole, laissez-les là. Vous ne voulez pas de caillé brûlé sans aromatiser votre fromage.

e) Répartissez la 1 cuillère à café de sel restante sur le caillé et mélangez doucement le caillé avec vos mains pour l'incorporer. Faites attention de ne pas briser le caillé dans le processus.

f) Faire un sac égouttoir: Nouez deux coins opposés de la mousseline de beurre et répétez avec les deux autres coins. Glissez une cheville ou une cuillère en bois sous les nœuds pour suspendre le sac au-dessus du récipient de récupération du lactosérum, ou suspendez-le au-dessus de l'évier de la cuisine à l'aide de la ficelle de cuisine attachée autour du robinet.

g) Laisser égoutter le caillé pendant 10 à 15 minutes, ou jusqu'à ce que la consistance désirée soit atteinte. Si vous aimez la ricotta humide, arrêtez de drainer au moment où le lactosérum cesse de basculer.

h) Si vous l'aimez plus sec ou si vous l'utilisez pour faire de la ricotta salata, laissez le caillé s'égoutter plus longtemps. Jetez le lactosérum ou conservez-le pour un autre usage.

i) Transférer le fromage dans un récipient avec couvercle. Couvrir et conserver au réfrigérateur jusqu'à 1 semaine.

5. Ricotta de lactosérum

DONNE 3 tasses

- 1 gallon de lactosérum de lait de vache frais provenant de la fabrication d'un fromage au lait de vache avec 2 gallons de lait

- 1 gallon de lait de vache entier pasteurisé
- 3½ cuillères à soupe de vinaigre distillé
- 1 cuillère à soupe de sel de mer
- 1 tasse de crème épaisse pasteurisée sans additifs

1. Assemblez votre équipement, vos fournitures et vos ingrédients, y compris un thermomètre pour produits laitiers ou de cuisine; nettoyez et stérilisez votre équipement au besoin et posez-le sur des torchons propres.

2. Assemblez un bain-marie à l'aide d'une marmite de 10 litres placée dans une casserole plus grande. Versez de l'eau dans la plus grande casserole pour remonter aux deux tiers du côté de la plus petite casserole. Retirez la plus petite casserole et placez la casserole d'eau à feu doux.

3. Lorsque l'eau atteint le point d'ébullition (212 ° F), remettez la plus petite casserole dans l'eau pour qu'elle se réchauffe légèrement, puis versez le petit-lait dans la plus petite casserole. Remuez doucement le lactosérum avec un fouet en effectuant un mouvement de haut en bas pendant 20 coups pour répartir uniformément la chaleur.

4. Ajoutez le lait de vache, couvrez la casserole et réchauffez lentement le lait à 192 ° F pendant environ 20 minutes, en diminuant le feu, en ajoutant de l'eau fraîche au bain-marie ou en le retirant du feu si la température augmente trop rapidement. . Éteignez le feu.

5. Versez lentement le vinaigre sur la surface du lait. À l'aide d'un fouet, incorporer soigneusement le vinaigre dans le lait en effectuant un mouvement de haut en bas pendant 20 coups. De petits caillés commenceront à se former.

6. Couvrir la casserole et laisser reposer 10 à 15 minutes en remuant une fois sur le pourtour du caillé avec une

spatule en caoutchouc. Le caillé se déposera dans le pot. Louchez le petit-lait jusqu'à ce que vous puissiez voir le caillé.

7. Placez une passoire non réactive sur un bol ou un seau non réactif suffisamment grand pour capturer le lactosérum. Tapissez-le de mousseline de beurre propre et humide et versez-y doucement le caillé. Laisser égoutter le caillé pendant 10 minutes. Répartissez le sel sur le caillé et mélangez doucement le caillé avec vos mains pour l'incorporer. Faites attention de ne pas briser le caillé dans ce processus. Jetez le lactosérum ou réservez-le pour un autre usage.

8. Transférer la ricotta dans un bol et incorporer délicatement la crème à l'aide d'une spatule en caoutchouc, en faisant attention de ne pas casser le caillé. Servir chaud ou réfrigérer jusqu'à 3 jours

6. Cabécou

REND quatre disques de 1½ à 2 onces

- 2 litres de lait de chèvre pasteurisé
- ¼ cuillère à café de culture starter mésophile en poudre MA 011 ou C20G
- 1 goutte de présure liquide diluée dans 5 cuillères à soupe d'eau froide non chlorée
- 2 cuillères à café de sel casher (de préférence de la marque Diamond Crystal)
- 1 cuillère à soupe d'herbes de Provence (facultatif)
- 2 cuillères à café de grains de poivre mélangés entiers
- 4 feuilles de laurier
- Environ 4 tasses d'huile d'olive extra-vierge fruitée

1. Assemblez votre équipement, vos fournitures et vos ingrédients, y compris un thermomètre pour produits

laitiers ou de cuisine; nettoyez et stérilisez votre
équipement au besoin et posez-le sur des torchons
propres.

2. Assemblez un bain-marie à l'aide d'une marmite non
   réactive de 4 pintes placée dans une casserole plus grande.
   Versez de l'eau dans le plus grand pot à mi-hauteur du
   côté du plus petit pot. Retirez la plus petite casserole et
   placez la casserole d'eau à feu doux. Lorsque l'eau atteint
   85 ° F, remettez le plus petit pot dans l'eau pour
   réchauffer légèrement, puis versez le lait dans le plus petit
   pot. Mélangez doucement le lait avec un fouet en
   effectuant un mouvement de haut en bas pendant 20
   coups pour répartir uniformément la chaleur. Couvrir et
   réchauffer lentement le lait à 75 ° F pendant environ 10
   minutes, en baissant le feu, en ajoutant de l'eau fraîche au
   bain-marie ou en le retirant du feu si la température
   augmente trop rapidement.

3. Lorsque le lait est à température, retirez-le du feu.
   Saupoudrez le démarreur sur le lait et laissez-le se
   réhydrater pendant 5 minutes. À l'aide d'un fouet, remuez
   le démarreur dans le lait pour l'incorporer, en effectuant
   un mouvement de haut en bas pendant 20 coups. Ajouter
   la présure diluée au lait, en fouettant avec un mouvement
   de haut en bas pendant 20 coups à incorporer.

4. Couvrir et laisser le lait prendre à 72 ° F pendant 18
   heures, jusqu'à ce qu'il coagule. Pendant la maturation, ne
   touchez pas et ne déplacez pas le lait. Le caillé formera
   une masse solide pendant cette période.

5.   Placez 4 moules sur un égouttoir au-dessus d'un plateau et, à l'aide d'une louche ou d'une écumoire, versez le caillé dans les moules. Lorsque les moules sont pleins, couvrez la grille avec un torchon ou un couvercle et laissez égoutter à température ambiante.

6.   Après 2 jours d'égouttage, les fromages auront coulé à environ 1 pouce de hauteur. Démoulez-les; ils doivent être suffisamment fermes pour conserver leur forme. Saler les fromages des deux côtés et les faire sécher dans la partie inférieure du réfrigérateur pendant 2 jours sur des nattes à fromage en les retournant une fois par jour. Gardez-les à découvert, car ils doivent sécher à l'air jusqu'à ce que la surface soit sèche au toucher.

7.   Placez chaque disque de fromage dans un bocal en verre stérilisé. Répartir les herbes de Provence, les grains de poivre et les feuilles de laurier dans les bocaux et recouvrir les fromages d'huile d'olive. Fermez bien les couvercles. L'huile d'olive conservera le fromage, ajoutera sa propre saveur et portera la saveur des herbes. Veuillez noter que l'huile d'olive se solidifiera dans le réfrigérateur mais redeviendra liquide à température ambiante. Laisser vieillir 1 semaine pour laisser la saveur se développer; utiliser dans les 3 semaines.

7. Du vrai fromage à la crème

FAIT 1½ livres

- 1 litre de lait de vache entier pasteurisé
- 1 litre de crème épaisse pasteurisée
- ¼ cuillère à café de levain mésophile en poudre MA 4001
- 2 gouttes de chlorure de calcium diluées dans 2 cuillères à soupe d'eau froide non chlorée
- 3 gouttes de présure liquide diluées dans 2 cuillères à soupe d'eau non chlorée
- 1 cuillère à café de sel casher (de préférence de la marque Diamond Crystal)

a) Assemblez votre équipement, vos fournitures et vos ingrédients, y compris un thermomètre pour produits laitiers ou de cuisine; nettoyez et stérilisez votre équipement au besoin et posez-le sur des torchons propres.

b) Assemblez un bain-marie en utilisant une casserole non réactive de 4 litres placée dans une casserole plus grande. En utilisant la méthode décrite à la page 17, faites chauffer le lait et la crème dans la petite casserole jusqu'à ce qu'ils atteignent 75 ° F, en remuant de temps en temps. Cela devrait prendre environ 15 minutes. Éteignez le feu.

c) Saupoudrez le démarreur sur le lait et laissez-le se réhydrater pendant 5 minutes. Fouettez le démarreur dans le lait pour l'incorporer, en effectuant un mouvement de haut en bas pendant 20 coups. Ajouter le chlorure de calcium dilué et incorporer de la même manière, puis la présure diluée. Couvrir, retirer du bain-marie et laisser reposer à température ambiante pendant 12 heures, ou jusqu'à ce que du caillé solide se forme et des chèvres de lactosérum liquide sur le dessus. Le lactosérum sera presque clair et de couleur vert clair.

d) Placez une passoire non réactive sur un bol ou un seau non réactif suffisamment grand pour capturer le lactosérum. Tapissez-le de mousseline de beurre propre et humide et versez-y doucement le caillé. Nouez les extrémités de la mousseline pour former un sac égouttoir et laissez égoutter pendant 6 à 8 heures, ou jusqu'à ce que rm au toucher. Jetez le lactosérum ou réservez-le pour un autre usage.

e) Transférer le caillé dans un bol, ajouter le sel et mélanger ou pétrir pour combiner. Former une brique et envelopper d'une pellicule plastique ou conserver dans un contenant couvert. Réfrigérer jusqu'à 2 semaines.

8. Fromage Cottage Créme Fraîche

- 1 gallon de lait de vache entier pasteurisé
- ⅜ cuillère à café de culture de démarreur mésophile en poudre Aroma B
- 1 cuillère à café de chlorure de calcium dilué dans ¼ tasse d'eau froide non chlorée (à omettre si vous utilisez du lait cru)
- 1 cuillère à café de présure liquide diluée dans ¼ tasse d'eau fraîche non chlorée
- 1 cuillère à café de sel casher (de préférence de marque Diamond Crystal) ou de sel au fromage
- 1 à 1½ tasse de crème fraîche, maison ou du commerce

a) Assemblez votre équipement, vos fournitures et vos ingrédients, y compris un thermomètre pour produits laitiers ou de cuisine; nettoyez et stérilisez votre équipement au besoin et posez-le sur des torchons propres.

b) Assemblez un bain-marie en utilisant une marmite de 6 pintes dans un pot plus grand. Versez de l'eau dans la plus grande casserole pour remonter aux deux tiers du côté de la plus petite casserole. Retirez la plus petite casserole et placez la casserole d'eau à feu doux. Lorsque l'eau atteint 80 ° F, remettez le plus petit pot dans l'eau pour réchauffer légèrement, puis versez le lait dans le plus petit pot. Couvrir la casserole et réchauffer lentement le lait à 70 ° F pendant environ 15 minutes, en baissant le feu, en ajoutant de l'eau fraîche au bain-marie ou en le retirant du feu si la température augmente trop rapidement.

c) Lorsque le lait est à température, saupoudrez le démarreur sur le lait et laissez-le se réhydrater pendant 5 minutes. Fouettez le démarreur dans le lait pour l'incorporer, en effectuant un mouvement de haut en bas pendant 20 coups. Ajouter le chlorure de calcium dilué et incorporer de la même manière, puis la présure diluée. Couvrir, retirer du bain-marie et laisser reposer à température ambiante pendant 3 à 4 heures. La protéine du lait se coagulera en caillé solide et le lactosérum liquide sera presque clair et de couleur vert clair.

d) Vérifiez le caillé pour une pause propre, à l'aide d'un couteau à caillé à longue lame désinfecté ou d'une spatule de décoration de gâteau de 10 pouces. Si le bord coupé est propre et qu'il y a une accumulation de lactosérum de couleur claire dans la zone coupée, le caillé est prêt. Si le bord coupé est mou et que le caillé est pâteux, le caillé n'est pas prêt; laissez-les s'asseoir plus longtemps avant de tester à nouveau. Lorsque vous êtes prêt, coupez le caillé en morceaux de ¾ de pouce et remuez doucement à l'aide d'une spatule en caoutchouc pendant 5 minutes pour raffermir légèrement le caillé.

e) Remettre la casserole au bain-marie à feu doux et porter lentement la température du caillé à 115 ° F, en augmentant la température d'environ 5 ° F toutes les 5 minutes. Cela prendra environ 40 minutes. Pendant ce temps, remuez doucement le caillé deux ou trois fois pour expulser plus de lactosérum et remuez-les légèrement. Lorsque le caillé est proche de la température, remplissez la moitié d'un grand bol d'eau froide et de glace et tapissez une passoire ou une passoire avec de la mousseline de beurre propre et humide. Lorsque le caillé est à température, il doit être ferme et de la taille d'un haricot. Versez le lait caillé dans la passoire doublée de tissu et placez immédiatement la passoire dans le bain d'eau glacée. Cela mettra en place les caillés et les empêchera de mûrir davantage.

f) Laisser le caillé égoutter complètement dans la passoire, environ 15 minutes, puis mélanger avec le sel jusqu'à ce qu'il soit uniformément mélangé. Incorporez doucement suffisamment de crème fraîche pour enrober le caillé. Le fromage peut être réfrigéré jusqu'à 10 jours.

9. Crescenza

- 2 gallons de lait de vache entier pasteurisé
- 1 cuillère à café de culture starter mésophile en poudre Aroma B
- 1 cuillère à café de chlorure de calcium dilué dans ¼ tasse d'eau fraîche non chlorée
- 1 cuillère à café de présure liquide diluée dans ¼ tasse d'eau fraîche non chlorée Sel casher (de préférence de marque Diamond Crystal) ou sel de fromage Eau non chlorée, refroidie à 55 ° F

1. Assemblez votre équipement, vos fournitures et vos ingrédients, y compris un thermomètre pour produits laitiers ou de cuisine; nettoyez et stérilisez votre équipement au besoin et posez-le sur des torchons propres.

a. Dans une marmite épaisse et non réactive de 10 litres, chauffer le lait à feu doux à 90 ° F. Cette

2. devrait prendre environ 20 minutes. Éteindre la chaleur.

a. Saupoudrez le démarreur sur le lait et laissez-le se réhydrater pendant 5 minutes. Fouettez le démarreur dans le lait pour l'incorporer, en effectuant un mouvement de haut en bas pendant 20 coups. Couvrir et, en maintenant la température à 90 ° F, laisser mûrir le lait pendant 30 minutes. (Reportez-vous aux conseils pour maintenir le lait ou le caillé à une température constante pendant un certain temps.) Ajouter le chlorure de calcium dilué et incorporer de la même manière, puis ajouter la présure diluée. Couvrir et laisser reposer à température ambiante pendant 45 minutes, ou jusqu'à ce que le caillé soit Irm et qu'il y ait une rupture nette entre le caillé et le lactosérum.

b. Coupez le caillé en morceaux de 1 pouce et laissez reposer 10 minutes. Remuez doucement avec une spatule en caoutchouc pendant 5 minutes pour faire légèrement remonter le caillé. Laisser le caillé se déposer au fond du pot. Louchez assez de lactosérum pour exposer le dessus du caillé.

c. Placez un moule Taleggio sur un égouttoir placé au-dessus d'un plateau et tapissez le moule de mousseline de beurre propre et humide. Versez doucement le caillé moelleux dans le moule, couvrez le caillé avec la queue de la mousseline et laissez égoutter 3 heures à température ambiante. Soulevez le sac en tissu du moule, déballez le fromage, trempez-le et remettez-le sur le chiffon. Remettez le sac dans le moule et laissez égoutter encore 3 heures, puis retirez le fromage du torchon.

d. Dans un récipient de qualité alimentaire avec un couvercle, faites suffisamment de saumure pour couvrir le fromage non emballé en combinant 1 partie de sel avec 5 parties d'eau réfrigérée. Placez le fromage dans la saumure pendant 2 heures à température ambiante, en trempant le fromage après 1 heure pour assurer une absorption uniforme du sel.

e. Retirez le fromage de la saumure, séchez-le et placez-le sur la grille d'égouttage pour égoutter davantage et sécher à l'air pendant 1 heure à température ambiante ou jusqu'à ce que la surface soit sèche au toucher.

f. Bien envelopper dans une pellicule plastique ou sceller sous vide et réfrigérer jusqu'au moment de l'utilisation. Ce fromage est meilleur lorsqu'il est consommé dans la semaine suivant son emballage, mais s'il est scellé sous vide, il peut se conserver jusqu'à 1 mois.

10. Chèvre de base

- 1 gallon de lait de chèvre pasteurisé
- 1 cuillère à café de culture de démarreur mésophile en poudre C20G
- 1 cuillère à café de sel de mer

a) Lisez la recette et passez en revue tous les termes et techniques que vous ne connaissez pas 1). Assemblez votre équipement, vos fournitures et vos ingrédients, y compris un thermomètre pour produits laitiers ou de cuisine; nettoyez et stérilisez votre équipement au besoin et posez-le sur des torchons propres.

b) Dans une marmite non réactive et épaisse de 6 litres, chauffer le lait à feu doux à 86 ° F. Cela devrait prendre 18 à 20 minutes. Éteignez le feu.

c) Lorsque le lait est à température, saupoudrez le démarreur sur le lait et laissez-le se réhydrater pendant 5 minutes. Fouettez le démarreur dans le lait pour l'incorporer, en effectuant un mouvement de haut en bas pendant 20 coups. Couvrir et, en maintenant la température entre 72 ° F et 78 ° F, laisser le lait mûrir pendant 12 heures. (Reportez-vous aux conseils sur le maintien du lait ou du caillé à une température constante pendant un certain temps.)

d) Le caillé est prêt lorsqu'il a formé une grande masse dans le pot avec la consistance d'un yogourt épais, entouré de petit-lait clair. Placez une passoire non réactive sur un bol ou un seau non réactif suffisamment grand pour capturer le lactosérum. Tapissez-le d'une seule couche de mousseline de beurre propre et humide et versez-y délicatement le caillé. Laisser égoutter pendant 5 minutes, puis mélanger doucement le caillé avec le sel. À ce stade, vous pouvez recouvrir le caillé avec les queues de la mousseline et laisser égoutter sur le bol, ou vous pouvez déposer le caillé dans 2 moules à chèvre posés sur une grille égoutteuse posée sur un plateau. Laissez égoutter à température ambiante pendant 6 heures pour un fromage crémeux, ou 12 heures si vous souhaitez façonner le fromage. Si vous utilisez les moules, mangez les fromages une fois pendant le processus d'égouttage.

e) Retirez le fromage de l'étamine ou des moules et placez-le dans un récipient couvert. À utiliser immédiatement ou à conserver au réfrigérateur jusqu'à 1 semaine.

FROMAGES DE CHÈVRE

11. Fromage blanc

FAIT 1½ livres

- 1 gallon de lait de vache pasteurisé à teneur réduite en matières grasses (2 pour cent) ¼ cuillère à café de culture de départ mésophile en poudre MA 4001
- 4 gouttes de chlorure de calcium diluées dans 2 cuillères à soupe d'eau froide non chlorée (à omettre si vous utilisez du lait cru)
- 4 gouttes de présure liquide diluées dans 2 cuillères à soupe d'eau froide non chlorée
- 1 cuillère à café de sel casher (de préférence de marque Diamond Crystal) ou de sel au fromage

1. Lisez la recette et passez en revue tous les termes et techniques que vous ne connaissez pas 1). Assemblez votre équipement, vos fournitures et vos ingrédients, y compris un thermomètre pour produits laitiers ou de cuisine; nettoyez et stérilisez votre équipement au besoin et posez-le sur des torchons propres.

2. Assemblez un bain-marie en utilisant une marmite de 6 pintes dans un pot plus grand. Versez de l'eau dans la plus grande casserole pour remonter aux deux tiers du côté de la plus petite casserole. Retirez la plus petite casserole et placez la casserole d'eau à feu doux. Lorsque l'eau atteint 85 ° F, remettez le plus petit pot dans l'eau pour le réchauffer légèrement,puis versez le lait dans le petit pot. Couvrir la casserole et réchauffer lentement le lait à 75 ° F pendant environ 15 minutes, en baissant le feu, en ajoutant de l'eau fraîche au bain-marie ou en le retirant du feu si la température augmente trop rapidement. Éteignez le feu.

3. Lorsque le lait est à température, saupoudrez le démarreur sur le lait et laissez-le se réhydrater pendant 5 minutes. Fouettez le démarreur dans le lait pour l'incorporer, en effectuant un mouvement de haut en bas pendant 20 coups. Ajouter le chlorure de calcium dilué et incorporer de la même manière, puis ajouter la présure diluée de la même manière. Couvrir et laisser reposer à température ambiante pendant 12 heures, ou jusqu'à ce que le caillé soit solide et que le lactosérum soit presque clair et de couleur jaunâtre et qu'il vole sur le dessus.

4. Placez une passoire non réactive sur un bol ou un seau non réactif suffisamment grand pour capturer le

lactosérum. Tapissez-le de mousseline de beurre propre et humide et versez-y doucement le caillé. Faire un sac égouttoir ou laisser égoutter le caillé dans la passoire pendant 4 à 6 heures, ou jusqu'à obtention de la consistance désirée. Jetez le lactosérum ou réservez-le pour un autre usage.

5.   Transférer le caillé dans un bol et saupoudrer de sel, puis fouetter pour combiner. Utiliser à droiteloin, ou conserver au réfrigérateur jusqu'à 2 semaines.

12. Fresque Queso

FAIT 2 livres

- 2 gallons de lait de vache entier pasteurisé
- 1 cuillère à café de culture de démarreur mésophile en poudre Meso II
- 1 cuillère à café de chlorure de calcium dilué dans ¼ tasse d'eau froide non chlorée (à omettre si vous utilisez du lait cru)
- 1 cuillère à café de présure liquide diluée dans ¼ tasse d'eau fraîche non chlorée
- 1½ cuillère à café de sel casher (de préférence de marque Diamond Crystal) ou de sel au fromage

1. Assemblez votre équipement, vos fournitures et vos ingrédients, y compris un thermomètre pour produits laitiers ou de cuisine, un moule à tomme de 5 pouces avec

un suiveur et une presse à fromage ou un poids de 8 livres comme une cruche de gallon remplie d'eau. Nettoyez et stérilisez votre équipement au besoin et étalez-le sur des torchons propres.

2.   Dans une marmite épaisse et non réactive de 10 litres, chauffer le lait à feu moyen à 90 ° F, en remuant de temps en temps avec une spatule en caoutchouc pour éviter qu'il ne brûle. Cela devrait prendre environ 20 minutes. Tourhors du feu.

3.   Lorsque le lait est à température, saupoudrez le démarreur sur le lait et laissez-le se réhydrater pendant 5 minutes. Fouettez le démarreur dans le lait pour l'incorporer, en effectuant un mouvement de haut en bas pendant 20 coups. Couvrir et maintenir la température à 90 ° F pendant 30 minutes pour faire mûrir le lait. (Reportez-vous aux conseils pour maintenir le lait ou le caillé à une température constante pendant un certain temps.) Ajouter le chlorure de calcium dilué et incorporer doucement avec un fouet en effectuant un mouvement de haut en bas pendant 1 minute. Ajouter la présure diluée et incorporer de la même manière. Couvrir et maintenir la température de 90 ° F pendant 45 minutes de plus, ou jusqu'à ce que le caillé donne une pause nette lorsqu'il est coupé avec un couteau.

4.   Coupez le caillé en morceaux de ¼ de pouce et laissez-les reposer 10 minutes. Remettez la casserole découverte à feu doux et augmentez progressivement la température à 95 ° F en 20 minutes, en remuant

doucement le caillé plusieurs fois pour les empêcher de se mater. Retirer la casserole du feu et laisser reposer le caillé pendant 5 minutes, puis verser à la louche suffisamment de lactosérum pour exposer le caillé.

5. Placez une passoire non réactive sur un bol ou un seau non réactif suffisamment grand pour capturer le lactosérum. Tapissez-le de mousseline de beurre propre et humide et versez-y doucement le caillé. Laisser égoutter pendant 5 minutes. Répartissez le sel sur le caillé et mélangez doucement pour l'incorporer, en faisant attention de ne pas briser le caillé dans le processus.

6. Soulevez le chiffon plein de caillé de la passoire et placez-le dans le moule à tomme de 5 pouces. À l'aide de vos mains, répartissez le caillé uniformément dans le moule. Couvrir le caillé avec les queues du chiffon et mettre le suiveur en place, puis placer dans une presse à 8 livres de pression pendant 6 heures à température ambiante. Vous pouvez également utiliser un récipient de 1 gallon rempli d'eau pour le poids.

7. Retirez le fromage du moule et du chiffon et utilisez-le immédiatement, ou conservez-le au réfrigérateur dans un contenant couvert jusqu'à 2 semaines.

13. Quark

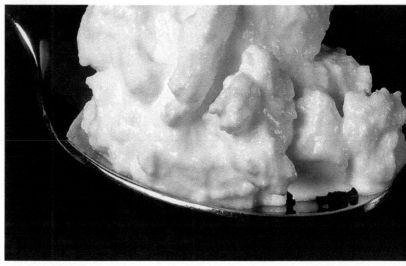

FAIT 1½ livres

- 2 litres de lait de vache entier pasteurisé
- 2 litres de lait de vache pasteurisé à teneur réduite en matières grasses (2 pour cent)
- 1 cuillère à café de culture starter mésophile en poudre Aroma B
- 1 cuillère à café de chlorure de calcium dilué dans ¼ tasse d'eau fraîche non chlorée
- 1 cuillère à café de présure liquide diluée dans ¼ tasse d'eau fraîche non chlorée

- 1½ cuillère à café de sel casher (de préférence de marque Diamond Crystal) ou de sel au fromage

1. Assemblez votre équipement, vos fournitures et vos ingrédients, y compris un thermomètre pour produits laitiers ou de cuisine; propre etstérilisez votre équipement au besoin et étalez-le sur des torchons propres.

2. Dans une marmite non réactive de 6 pintes, chauffer lentement les deux laits à feu doux à 72 ° F. Cela devrait prendre environ 15 minutes. Éteignez le feu.

3. Lorsque le lait est à température, saupoudrez le démarreur sur le lait et laissez-le se réhydrater pendant 5 minutes. Fouettez le démarreur dans le lait pour l'incorporer, en effectuant un mouvement de haut en bas pendant 20 coups. Couvrir et, en maintenant la température à 72 ° F, laisser mûrir le lait pendant 30 minutes. (Reportez-vous aux conseils pour maintenir le lait ou le caillé à une température constante pendant un certain temps.) Ajouter le chlorure de calcium dilué et remuer doucement avec un fouet en effectuant un mouvement de haut en bas pendant 1 minute. Ajouter la présure diluée et incorporer de la même manière.

4. Couvrir et laisser reposer à température ambiante pendant 12 à 18 heures, jusqu'à ce que le petit-lait bouillonne sur le dessus et que le caillé donne une pause nette lorsqu'il est coupé avec un couteau. Si le bord coupé est propre et qu'il y a une accumulation de lactosérum de couleur claire dans la zone coupée, le caillé est prêt. Si le bord coupé est mou et que le caillé est pâteux, le caillé n'est pas prêt; laissez-les reposer 10 minutes de plus avant de tester à nouveau.

5.   Remettez lentement le caillé et le lactosérum à 72 ° F à feu doux. Couper le caillé en morceaux de ½ pouce, retirer du feu et remuer doucement pendant 5 minutes. Laisser reposer le caillé et descendre au fond de la casserole, en maintenant la température. Louchez le petit-lait jusqu'à ce que le caillé soit exposé,puis versez le lait caillé dans une passoire tapissée de mousseline de beurre propre et humide. Laisser égoutter le caillé pendant 6 à 10 heures ou jusqu'à ce que le niveau d'humidité souhaité soit atteint; un drainage plus long donnera un quark plus sec.

6.   Transférer le caillé dans un bol et mélanger avec le sel, en le pliant doucement à l'aide d'une spatule en caoutchouc. Laisser égoutter encore 5 minutes s'il y a un excès de lactosérum. À utiliser immédiatement ou à conserver au réfrigérateur dans un contenant couvert jusqu'à 2 semaines.

FROMAGES AU SEL ET AU SEL

14. Cotija

FAIT 1¾ livres

- 2 gallons de lait de vache entier pasteurisé
- 1 cuillère à café de culture de démarreur mésophile en poudre Meso II
- 1 cuillère à café de culture starter thermophile en poudre Thermo B
- 1 cuillère à café de chlorure de calcium dilué dans ¼ tasse d'eau fraîche non chlorée
- 1 cuillère à café de présure liquide diluée dans ¼ tasse d'eau fraîche non chlorée
- Sel casher (de préférence de marque Diamond Crystal) ou sel au fromage

1. Assemblez votre équipement, vos fournitures et vos ingrédients, y compris un thermomètre pour produits laitiers ou de cuisine, un moule à tomme de 5 pouces avec un suiveur et une presse à fromage ou un poids de 15 livres. Nettoyez et stérilisez votre équipement au besoin et étalez-le sur des torchons propres.

2. Dans une marmite non réactive de 10 litres à feu doux, chauffer lentement le lait à 100 ° F, en remuant de temps en temps pour éviter de brûler. Cela devrait prendre environ 25 minutes. Tourhors du feu.

3. Lorsque le lait est à température, saupoudrez les entrées sur le lait et laissez-le se réhydrater pendant 5 minutes. Fouettez les entrées dans le lait pour incorporer, en utilisant un mouvement de haut en bas pendant 20 coups. Couvrir et, en maintenant la température à 100 ° F, laisser mûrir le lait pendant 30 minutes.

4. Ajouter le chlorure de calcium dilué au lait et incorporer en utilisant la même technique de haut en bas, puis ajouter la présure diluée de la même manière.

5. Couvrir et maintenir la température à 100 ° F pendant 1 heure et demie, ou jusqu'à ce que le caillé donne une pause nette une fois coupé.

6. Continuer à maintenir le caillé à 100 °F, coupez-les en morceaux de ½ pouce et laissez reposer pendant quelques minutes. Augmentez lentement la température à 105 ° F pendant 10 minutes, en remuant doucement autour du bord du pot avec une spatule en caoutchouc et en déplaçant le caillé en continu vers Orm sur la surface et

en l'empêchant de se mater. Le caillé expulsera le lactosérum et rétrécira à la taille des lentilles. Laisser reposer le caillé pendant 10 minutes, tout en maintenant 105 ° F.

7. Placez une passoire non réactive sur un bol ou un seau non réactif suffisamment grand pour capturer le lactosérum. Tapissez-le de mousseline de beurre propre et humide et versez-y doucement le caillé. Laisser égoutter pendant 15 minutes ou jusqu'à ce que le lactosérum cesse de couler. Répartissez 1½ cuillère à café de sel sur le caillé et utilisez vos mains pour mélanger doucement le caillé à incorporer, en faisant attention de ne pas briser le caillé dans le processus.

8. Placer le moule à tomme de 5 pouces sur une grille d'égouttage posée sur une plaque à pâtisserie. Tapisser le moule d'une étamine humide ou d'une mousseline de beurre. Transférez doucement le caillé égoutté dans le moule à fromage doublé, couvrez avec les queues du chiffon et placez le suiveur sur le dessus du caillé. Appuyez à 15 livres pendant 30 minutes. Retirez le fromage du moule et décollez le chiffon, essuyez le fromage et réparez. Appuyez à nouveau à la même pression pendant 8 heures ou toute la nuit.

9. Deux heures ou plus avant d'en avoir besoin, préparez la saumure en combinant 1½ tasse de sel et 1 litre d'eau dans un seau non corrosif ou un récipient avec un couvercle; refroidir entre 50 ° F et 55 ° F. Retirez le fromage du moule et déballez-le, puis placez-le dans la

saumure. Laisser tremper entre 50 ° F et 55 ° F pendant 24 heures, en le basculant après 12 heures pour répartir uniformément la saumure.

10.   Retirez le fromage de la saumure et séchez-le. Sécher à l'air pendant 6 heures,puis placer sur un tapis de fromage dans une boîte d'affinage. Vieillir à 55 ° F à 80 à 85 pour cent d'humidité, en tournant tous les jours. Retirez toute moisissure indésirable avec une étamine imbibée d'une solution de vinaigre-sel et essuyez la boîte pour maintenir l'humidité. Après 2 semaines, enveloppez le fromage dans du papier à fromage et conservez-le au réfrigérateur jusqu'à 4 semaines de plus. Alternativement, sceller le fromage sous vide et réfrigérer jusqu'à 2 mois.

15. Ricotta salata

DONNE 12 onces

- 1 gallon de lait de vache entier pasteurisé
- ½ tasse de crème épaisse
- 1 cuillère à café d'acide citrique en poudre
- Sel casher (de préférence de marque Diamond Crystal) ou sel au fromage

1. Suivez la recette de la ricotta au lait entier. Ajouter 1 cuillère à soupe de sel casher ou de sel au fromage au caillé et mélanger avec vos mains pour répartir. Tapisser un moule à ricotta avec une étamine propre et humide et placer sur une grille d'égouttage placée au-dessus d'un

plateau. Pressez le fromage dans le moule, couvrez avec les queues de l'étamine et alourdissez-le avec un poids légèrement inférieur à 2 livres, comme un pot de pinte rempli d'eau. Presser pendant 1 heure, puis démouler le fromage, le déballer, le déchirer, le redresser dans la même étamine et le remettre dans le moule. Appuyez dessus au même poids pendant 12 heures ou toute la nuit.

2.   Démouler et déballer le fromage, puis frotter légèrement la surface avec du sel casher ou du fromage. Recouvrez le fromage avec une étamine propre, remettez-le dans le moule, placez-le sur une grille de séchage dans une boîte d'affinage et réfrigérez pendant 12 heures.

3.   Sortez le fromage de l'étamine, glissez-le dessus et frottez-le partout avec plus de sel, puis remettez le fromage déshabillé dans le moule. Continuez ce processus de basculement et de salage une fois par jour pendant 7 jours pour éliminer l'humidité et aider au processus de séchage. Après 3 jours, sortez le fromage du moule et continuez à le faire vieillir sur la grille. Si une moisissure indésirable apparaît, essuyez-la avec une étamine imbibée d'une solution de vinaigre-sel.

4.   Après 1 semaine, ou lorsque la teneur désirée est atteinte, brossez tout excès de sel de la surface, couvrez et faites vieillir le fromage au réfrigérateur jusqu'à ce que la texture désirée soit obtenue. Utiliser tout de suite ou envelopper dans du papier à fromage et conserver au réfrigérateur pendant au moins 2 semaines et jusqu'à 2 mois.

5.

16. Feta

- 1 gallon de lait de chèvre pasteurisé
- 1 cuillère à café de poudre de lipase douce diluée dans ¼ tasse d'eau froide non chlorée 20 minutes avant utilisation (facultatif)
- 1 cuillère à café de culture starter mésophile en poudre Aroma B
- 1 cuillère à café de chlorure de calcium liquide dilué dans ¼ tasse d'eau froide non chlorée (à omettre si vous utilisez du lait cru)
- ½ cuillère à café de présure liquide diluée dans ¼ tasse d'eau fraîche non chlorée
- 2 à 4 cuillères à soupe Eake sel de mer ou sel casher (de préférence de la marque Diamond Crystal)
- Sel casher (de préférence de marque Diamond Crystal) ou sel de fromage pour saumure (facultatif)

1. Assemblez votre équipement, vos fournitures et vos ingrédients, y compris un thermomètre pour produits

laitiers ou de cuisine; nettoyez et stérilisez votre équipement au besoin et posez-le sur des torchons propres.

2.   Dans une marmite non réactive et lourde de 6 litres, combinez le lait et la lipase diluée, si vous en utilisez, en fouettant doucement la lipase dans le lait en utilisant un mouvement de haut en bas pendant 20 coups. Mettre à feu doux et chauffer lentement le lait à 86 ° F. Cela devrait prendre 18 à 20 minutes. Tourhors du feu.

3.   Lorsque le lait est à température, saupoudrez le démarreur sur le lait et laissez-le se réhydrater pendant 2 minutes. Fouettez le démarreur dans le lait pour l'incorporer, en effectuant un mouvement de haut en bas pendant 20 coups. Couvrir et, en maintenant la température à 86 ° F, laisser mûrir le lait pendant 1 heure. (Reportez-vous aux conseils sur le maintien du lait ou du caillé à une température constante pendant un certain temps.)

4.   Ajouter le chlorure de calcium dilué au lait affiné et remuer doucement avec un fouet en effectuant un mouvement de haut en bas pendant 1 minute. Ajouter la présure diluée et incorporer de la même manière. Couvrir et maintenir à 86 ° F pendant 1 heure, ou jusqu'à ce que le caillé forme une masse solide avec un revêtement de lactosérum jaune clair sur le dessus et montre une rupture nette. S'il n'y a pas de rupture nette après 1 heure, recommencez le test dans 15 minutes.

5. Coupez le caillé en morceaux de ½ pouce. Tout en maintenant une température de 86 ° F, laissez-les reposer sans être dérangés pendant 10 minutes. À l'aide d'une spatule en caoutchouc, remuez doucement le caillé pendant 20 minutes pour libérer plus de lactosérum et empêcher le caillé de se mater. Le caillé ressemblera plus à un oreiller à la fin de ce processus. Si vous voulez un caillé Krmer, augmentez la température à 90 ° F pour cette étape. Laisser reposer le caillé pendant 5 minutes, sans être dérangé, toujours à température. Le caillé se déposera au fond du pot.

6.

7. Tapisser une passoire avec une étamine propre et humide ou de la mousseline de beurre et, à l'aide d'une cuillère à trous, transférer le caillé dans la passoire. Attachez les coins du chiffon ensemble pour créer un sac drainant, puis laissez égoutter pendant 2 heures ou jusqu'à ce que le petit-lait ait cessé de basculer. le

8. le caillé doit former une masse solide et se sentir rm; sinon, laissez-les sécher pendant une heure supplémentaire. Si vous désirez une forme plus uniforme, après une demi-heure d'égouttage dans la passoire, transférez le sac dans un moule à fromage carré ou un panier à tomates en filet sur une grille d'égouttage. Tapisser le moule avec le sac de caillé, presser le fromage dans les coins du moule et terminer l'égouttage. Retirez le fromage du chiffon et hachez-le toutes les heures au cours de ce processus d'égouttage pour aider à uniformiser la texture et à réduire le fromage.

9.   Une fois égoutté, transférez le fromage dans un bol. Coupez-le en tranches de 1 pouce d'épaisseur, puis en cubes de 1 pouce. Saupoudrez les morceaux de sel de mer 6ake, en vous assurant que toutes les surfaces sont couvertes. Couvrir légèrement le bol avec un couvercle ou une pellicule plastique et laisser vieillir dans le sel pendant 5 jours au réfrigérateur. Vérifiez quotidiennement et versez tout lactosérum expulsé. La feta peut être utilisée à ce stade ou stockée dans de la saumure pendant encore 21 jours. Si le fromage fini est trop salé à votre goût, faites tremper le fromage dans de l'eau non chlorée pendant 1 heure, puis laissez égoutter avant de l'utiliser. La feta peut être conservée quelques mois en saumure.

17. Halloumi

DONNE 12 onces

- 1 gallon de lait de vache entier pasteurisé
- 1 cuillère à café de poudre de lipase douce dissoute dans ¼ tasse d'eau froide non chlorée 20 minutes avant utilisation (facultatif)
- 1 cuillère à café de chlorure de calcium dilué dans ¼ tasse d'eau froide non chlorée (à omettre si vous utilisez du lait cru)
- 1 cuillère à café de présure liquide diluée dans ¼ tasse d'eau fraîche non chlorée

- 1 cuillère à café de menthe séchée (facultatif)
- Sel casher (de préférence de marque Diamond Crystal) ou sel de fromage pour le saumurage

1. Assemblez votre équipement, vos fournitures et vos
    ingrédients, y compris un thermomètre pour produits
    laitiers ou de cuisine; vous aurez également besoin d'un
    moule de 5 pouces avec un suiveur et une presse à
    fromage ou un poids de 8 livres (un contenant de gallon
    rempli d'eau fera l'affaire). Nettoyez et stérilisez votre
    équipement au besoin et étalez-le sur des torchons
    propres.

2. Dans une marmite non réactive et épaisse de 6 litres,
    chauffer lentement le lait à feu doux à 90 ° F. Cela devrait
    prendre environ 20 minutes. Éteignez le feu.

3. Si vous utilisez de la lipase, fouettez-la doucement
    dans le lait en effectuant un mouvement de haut en bas
    pendant 1 minute, puis laissez reposer 5 minutes. Ajouter
    le chlorure de calcium dilué et remuer doucement avec un
    fouet en effectuant un mouvement de haut en bas
    pendant 1 minute. Ajouter la présure diluée et incorporer
    de la même manière. Couvrir et, en maintenant la
    température à 90 ° F, laisser le lait mûrir pendant 45
    minutes, ou jusqu'à ce que le caillé donne une pause nette
    lorsqu'il est coupé avec un couteau. Toujours à 90 ° F,
    couper le caillé en morceaux de ¾ de pouce et laisser
    reposer 5 minutes.

4. À feu doux, porter lentement le caillé à 104 ° F sur
    une période de 15 minutes. Le caillé se brisera légèrement.
    En maintenant la température de 104 ° F, remuez
    doucement et continuellement avec une spatule en
    caoutchouc pendant 20 minutes. Le caillé rétrécira et se

raffermira légèrement, prenant une forme individuelle. Laisser reposer le caillé pendant 5 minutes en maintenant la température. Ils couleront

5. vers le bas et le petit-lait montera vers le haut. Louchez suffisamment de lactosérum pour exposer le dessus du caillé.

6. Placez une passoire non réactive sur un bol ou un seau non réactif suffisamment grand pour capturer le lactosérum. Alignez-le avecde la mousseline de beurre propre et humide et versez-y délicatement le caillé. Mélangez la menthe séchée avec le caillé si vous en utilisez et laissez égoutter pendant 15 minutes ou jusqu'à ce que le lactosérum cesse de basculer. Réservez le lactosérum pour une utilisation ultérieure dans la recette, en le conservant au réfrigérateur pour éviter qu'il ne se acidifie.

7.

8. Placez le moule à tomme de 5 pouces sur une grille d'égouttage placée au-dessus d'un plateau. Tapisser le moule avec une étamine propre et humide, puis transférer doucement le caillé égoutté dans le moule. Couvrir le dessus du caillé avec l'excès de gaze et placer le suiveur sur le dessus. Placez le moule dans une presse à fromage ou placez un poids de 8 livres sur le dessus du suiveur et appuyez à 8 livres de pression pendant 3 heures.

9. Retirer le fromage du moule, décoller l'étamine, renverser le fromage et redresser avec l'étamine. Appuyez à nouveau à 8 livres pendant 3 heures supplémentaires.

10. Retirez le caillé pressé du moule et coupez les bords arrondis pour créer un carré de 4 pouces. Réservez les parures pour les utiliser comme garniture de fromage émietté. Si le caillé pressé a une épaisseur de 2 pouces ou plus, divisez la dalle en deux horizontalement.

11. À l'aide d'une marmite à fromage, chauffer lentement le petit-lait réservé à 190 ° F pendant 30 minutes. Placer le ou les carrés de caillé dans le lactosérum chaud et cuire 30 à 35 minutes, ou jusqu'à ce que le fromage rétrécisse légèrement et que l'avoine se mette sur le dessus du lactosérum. Assurez-vous de maintenir la température tout au long de la cuisson et ne laissez pas bouillir le lactosérum.

12.   À l'aide d'une écumoire à mailles, retirez le fromage du petit-lait et placez-le sur une grille égoutteuse pour le refroidir. Sécher à l'air, en basculant au moins une fois, jusqu'à ce que les surfaces soient sèches au toucher, environ 30 minutes.

13.   Pendant ce temps, faites un mi-lourd saumure en combinant le sel avec 1 gallon d'eau de 50 ° F à 55 ° F. Placez le fromage séché dans un récipient non corrosif et couvrez avec la saumure fraîche. Conserver couvert au réfrigérateur pendant 5 jours ou jusqu'à 2 mois. Conservez la saumure inutilisée dans un récipient étiqueté entre 50 ° F et 55 ° F pour un autre saumurage.

FROMAGES À LA FARCEAU

18. Mozzarella traditionnelle

FAIT 1 livre

- 1 gallon de lait de vache ou de chèvre entier pasteurisé
- 1 cuillère à café de culture starter thermophile en poudre Thermo B
- 1 cuillère à café de chlorure de calcium dilué dans ¼ tasse d'eau fraîche non chlorée ¾ cuillère à café de présure liquide diluée dans ¼ tasse d'eau fraîche non chlorée
- Sel casher (de préférence de marque Diamond Crystal) ou sel de fromage pour le saumurage

1.   Dans une marmite non réactive de 6 pintes, chauffer lentement le lait à 95 ° F à feu doux; cela devrait prendre environ 20 minutes. Éteignez le feu.

2.   Saupoudrez le démarreur sur le lait et laissez-le se réhydrater pendant 5 minutes. Bien mélanger à l'aide d'un

fouet dans un haut-et-basmouvement pour 20 coups. Couvrir et maintenir 90 ° F à 95 ° F, en laissant le lait mûrir pendant 45 minutes. Ajouter le chlorure de calcium dilué et incorporer doucement au fouet. Laisser reposer 10 minutes. Ajouter la présure diluée et fouetter doucement. Couvrir et laisser reposer, en maintenant 90 ° F à 95 ° F pendant 1 heure, ou jusqu'à ce que le caillé donne une pause nette.

3. Coupez le caillé en morceaux de ½ pouce et laissez reposer pendant 30 minutes, en maintenant entre 90 ° F et 95 ° F. Pendant ce temps, le caillé va remonter et libérer plus de lactosérum. À feu doux, augmentez lentement la température à 105 ° F en 30 minutes, en remuant doucement de temps en temps et en vérifiant fréquemment la température et en ajustant la chaleur au besoin. Si vous augmentez la température trop rapidement, le caillé ne se coagulera pas et ne se liera pas correctement. Une fois que 105 ° F est atteint, retirer du feu et, à l'aide d'un caoutchoucspatule, remuez doucement pendant 10 minutes sur les bords du pot et sous les caillés pour les déplacer. En maintenant la température, laissez le caillé reposer encore 15 minutes; ils couleront au fond.

4. Tapissez une passoire de mousseline de beurre humide, posez-la sur une autre casserole et versez-y le caillé avec une cuillère à trous. Laisser égoutter pendant 15 minutes ou jusqu'à ce que le caillé cesse de laisser tomber le lactosérum. Réservez le petit-lait.

5.   Remettez doucement le caillé égoutté dans le pot d'origine et placez-le dans un bain-marie de 102 ° F à 105 ° F. Maintenez la température du bain-marie pendant 2 heures. Le caillé se fondra les uns dans les autres, se liant en une dalle; tournez la dalle deux fois pendant cette période, à l'aide d'une spatule.

6.   Lorsque 2 heures se sont écoulées, commencez à tester le pH du caillé à l'aide d'un pH-mètre ou de bandelettes de pH. Vérifiez le pH toutes les 30 minutes pendant cette période; une fois qu'il tombe en dessous de 5,6, vérifiez-le tous lesminutes, car il tombera rapidement après ce point. Une fois que le pH tombe entre 4,9 et 5,2, le caillé est prêt à s'étirer.

7.   Transférer le caillé dans une passoire chaude, laisser égoutter pendant quelques minutes, puis transférer sur une planche à découper stérilisée. Coupez le caillé en cubes d'environ 1 pouce et mettez-les dans un bol en acier inoxydable propre assez grand pour les contenir avec beaucoup d'espace libre (le caillé sera recouvert de liquide chaud).

8. Dans une casserole propre, chauffer 4 litres d'eau ou du petit-lait réservé à 170 ° F à 180 ° F. Versez-le sur les caillés pour les recouvrir complètement.

9.   En portant des gants résistants à la chaleur, travaillez les cubes de caillé immergés en une grosse boule, pétrissez-la et façonnez-la dans l'eau chaude. Une fois que le caillé est formé en une boule Wrm, sortez-le de l'eau et, en travaillant rapidement, tirez-le et étirez-le en une longue corde d'environ 18 pouces de long.

10. Si la corde de caillé refroidit et devient cassante, plongez-la dans l'eau chaude pour la rendre à nouveau chaude et souple. Enroulez la corde sur elle-même, puis tirez et étirez-la à nouveau deux ou trois fois, jusqu'à ce que le caillé soit brillant et lisse. (Le processus est quelque chose comme l'étirement du taKy.) Faites attention de ne pas surcharger le caillé, sinon vous allez durcir le fromage.

11. Le caillé est maintenant prêt à être façonné. Pour former une boule, pincez la quantité que vous voulez façonner, en étirant la surface de la balle pour qu'elle devienne serrée et brillante; rentrez les extrémités dans le dessous comme si vous formiez une boule de pâte à pizza.

12. Retournez la balle dans votre main et appuyez sur les bords inférieurs vers le centre de la balle, dans la paume de votre main. Immergez immédiatement la balle dans un bol d'eau glacée pour la refroidir et la laisser reposer pendant 10 minutes.

13.   Pendant que le fromage refroidit, préparez un léger eau salée . Vous pouvez utiliser le lactosérum réservé pour la saumure, en ajoutant de l'eau au besoin pour égaler 3 litres, en y dissolvant 9 onces de sel casher et en le refroidissant à 50 ° F à 55 ° F.

14. Il en résulte un fromage fini moins salé. Pour un fromage fini plus salé, faites 3 litres de saumure saturée et réfrigérez à 50 ° F à 55 ° F. Placez le fromage frais dans la solution de saumure. Si vous utilisez la saumure saturée, faites tremper le fromage pendant 20 minutes, en le retournant plusieurs fois.

15. Si vous utilisez de la saumure de lactosérum plus faible, vous pouvez laisser le fromage dans la saumure, réfrigéré,

jusqu'à 8 heures, en renversant le fromage plusieurs fois. Dans tous les cas, retirez-le de la saumure et utilisez-le immédiatement, ou placez-le dans un récipient en plastique pour conserver les aliments, couvrez d'eau et conservez au réfrigérateur jusqu'à 1 semaine.

19. Burrata

FAIT 4 grands sachets ou 8 petits sachets

* Préparez la Mozzarella traditionnelle au point de l'étirer et de la façonner en une seule boule lisse et de la refroidir dans de l'eau glacée.
* Préparez la garniture de votre choix:

1. REMPLISSAGE MOZZARELLA: morceaux de mozzarella brisés en petits morceaux et mélangés avec une petite quantité de crème pour humidifier

2. REMPLISSAGE DE MASCARPONE: ¾ tasse de mascarpone bien mélangé avec 1½ once de beurre doux non salé et ¼ cuillère à café de sel, refroidi jusqu'à rm, puis formé en 4 boules de Plling et mis de côté sur du papier parchemin et réfrigéré jusqu'à utilisation

3. REMPLISSAGE DE RICOTTA: 1 tasse de ricotta (pour être traditionnel, vous pouvez faire votre propre ricotta de lactosérum tout en faisant la mozzarella pour cette recette)

4. Divisez la mozzarella en quatre portions de 4 onces, placez les morceaux dans un bol et couvrez-les d'eau de 170 ° F à 180 ° F. Lorsque

5. la mozzarella est chauffée et pliable, environ 5 minutes, retirez les morceaux de l'eau et étirez-les rapidement en carrés d'environ 4 pouces, soit en coupe dans la paume de votre main, soit pressés en forme sur une planche à découper. Si vous le souhaitez, lorsque vous formez les carrés, vous pouvez les draper dans une louche en acier inoxydable de 4 onces pour les façonner en sachets; trempez la louche dans l'eau chaude si nécessaire pour garder l'élasticité de la mozzarella.

6. Une fois qu'un morceau de mozzarella est étiré, remplissez-le avec environ 1½ once de garniture et tirez rapidement 2 aps opposés vers le haut et sur la garniture

pour l'enfermer complètement. Rassemblez les 2 autres aps et fermez-les par pincement, puis plongez le sachet dans l'eau chaude brièvement pour le sceller.

7. Lissez la surface de la balle avec la paume de votre main et placez-la dans un bain de glace pour qu'elle refroidisse pendant 2 à 3 minutes. Formez et remplissez les autres sachets. Si vous le souhaitez, vous pouvez attacher une ciboulette autour de la fermeture avant de refroidir.

20. Queso Oaxaca

1. Pour faire du queso Oaxaca dans le style de la Mozzarella Company, faites de la Mozzarella traditionnelle jusqu'à faire fondre le caillé dans le petit-lait chaud. Pincez des morceaux de la taille d'une paume de la boule de caillé submergée pétrie, puis tirez et étirez les morceaux chauds en rubans de 1 pouce de large d'environ 2 pieds de long.

2. Posez les minces rubans sur une surface de travail en une seule corde de caillé de va-et-vient continue, comme des bonbons en ruban. Saler généreusement les rubans chauds avec du sel casher et laisser reposer 5 minutes. Ensuite, pressez le jus d'un citron vert sur le dessus et frottez doucement le sel et le jus de citron vert dans les rubans.

3. Laisser agir 10 minutes, puis enrouler les rubans en boules en forme de fil de la taille de votre Lst, en entrecroisant les brins au fur et à mesure que la balle se forme et se replie à la fin. Réglez la balle sur la surface de travail pour

qu'elle s'écoule pendant que vous formez le reste du caillé en boules (vous en aurez 4 ou 5 au total).

4. Faire 2 litres de saumure légère, refroidi à 50 ° F à 55 ° F. Plongez les boules dans la saumure pendant 15 minutes, puis retirez-les et laissez égoutter pendant 30 minutes avant de les envelopper dans une pellicule plastique et de les réfrigérer toute la nuit, ou jusqu'à 10 jours.

21. Bocconcini

1. Pour faire des bocconcini, suivez la recette de la Mozzarella traditionnelle au point où vous avez coupé le

caillé en cubes et chauffé le lactosérum, mais que vous n'avez pas versé le lactosérum chaud sur les cubes.

2. Placez une poignée de cubes de caillé dans une écumoire ou une cuillère à fente et, en portant des gants résistants à la chaleur, plongez l'ustensile dans le petit-lait chaud pendant plusieurs secondes, en faisant fondre les caillés jusqu'à ce qu'ils soient extensibles.

3. À l'aide d'une cuillère ou de vos doigts, et en travaillant rapidement, pétrissez le caillé fondu dans l'ustensile, en le plongeant dans le petit-lait chaud au besoin pour garder le caillé souple.

4. Lorsque les caillés sont pétris en une boule de Nrm, tirez-les et étirez-les en une petite corde et repliez-les sur eux-mêmes, en répétant plusieurs fois jusqu'à ce que la boule de caillés soit lisse, souple et brillante. Ne surchargez pas le caillé, ou vous durcirez le fromage.

5. Formez le caillé en forme de boule et placez-le dans un bol d'eau glacée pendant 10 minutes pour refroidir et prendre. Répétez avec le reste des caillés jusqu'à ce qu'ils soient tous étirés et façonnés en boules.

6. Faites une saumure avec le petit-lait chaud en dissolvant 6 onces de sel casher et en ajoutant de l'eau pour faire 2 litres de saumure, puis refroidissez-la à 50 ° F à 55 ° F.

7. Placez le fromage frais dans la saumure de lactosérum pendant 2 heures. Utiliser immédiatement pour une meilleure saveur, ou conserver dans le petit-lait salé, couvert et réfrigéré, jusqu'à 1 semaine.

22. Mozzarella Junket

FAIT 1 livre

- 1 gallon de lait de vache entier pasteurisé mais non homogénéisé
- 7 cuillères à soupe de vinaigre distillé (5% d'acidité)
- 4 comprimés de présure de junket dissous dans ½ tasse d'eau fraîche non chlorée
- 1½ cuillère à café plus ¼ tasse de sel casher (

1. Dans une marmite non réactive de 6 pintes, chauffer lentement le lait à 88 ° F à feu doux; cela devrait prendre environ 20 minutes. Incorporer le vinaigre à l'aide d'un fouet dans un mouvement de haut en bas pour bien incorporer. Ajouter la présure dissoute et fouetter doucement pendant 1 minute.

2. Augmentez lentement la température à 90 ° F en 8 minutes. Retirer du feu, couvrir et laisser reposer, en

maintenant la température pendant 1 heure, jusqu'à ce que le caillé forme une masse solidede petits caillés collés la consistance du tofu mou. Quelques petits caillés peuvent flotter dans le petit-lait jaune clair. Vérifiez s'il y a une pause propre, et s'il n'y a pas de pause nette, vérifiez à nouveau dans 15 minutes.

3.   Coupez le caillé en morceaux de ½ pouce et laissez reposer pendant 10 minutes, en les maintenant à 90 ° F. À feu doux, augmenter la température à 108 ° F pendant 15 minutes, en remuant doucement toutes les 5 minutes et en vérifiant fréquemment la température et en ajustant la chaleur au besoin. Si vous augmentez la température trop rapidement, le caillé ne se coagulera pas et ne se liera pas correctement.

4.   Une fois que 108 ° F est atteint, retirez du feu et, à l'aide d'une spatule en caoutchouc, remuez doucement pendant 10 minutes sur les bords du pot et sous le caillé pour les déplacer et expulser plus de lactosérum. Laisser reposer le caillé encore 15 minutes. À ce stade, le caillé sera légèrement en dessous de la surface du lactosérum.

5.   Appuyez doucement sur l'un des caillés entre deux ngers. Il doit être élastique et extensible; si ce n'est pas le cas, laissez le caillé pendant 10 minutes, puis testez à nouveau.

6.   Tapissez une passoire de mousseline de beurre humide, posez-la sur une autre casserole et versez-y le caillé avec une cuillère à trous. Laisser égoutter pendant 15 minutes ou jusqu'à ce que le lactosérum cesse de couler et que le caillé soit compacté. Réservez le petit-lait.

7.	Ajouter les 1½ cuillères à café de sel au petit-lait et remuer pour dissoudre. Chauffer lentement le lactosérum à feu moyen-doux à 175 ° F à 180 ° F; cela devrait prendre environ 30 minutes.

8.	Pendant ce temps, enroulez la mousseline sur le caillé et placez le sachet sur une planche à découper. Aplatissez légèrement le caillé et laissez reposer 20 minutes. Ouvrez la mousseline et coupez la tranche de caillé en lanières ou en morceaux de ½ pouce.

9.	Placez une poignée de bandes ou de morceaux de caillé dans une écumoire ou une cuillère à fente et, en portant des gants résistants à la chaleur, plongez l'ustensile dans le petit-lait chaud pendant plusieurs secondes, en faisant fondre le caillé jusqu'à ce qu'il soit extensible.

10.	À l'aide d'une cuillère ou de vos ngers, et en travaillant rapidement, pétrissez le caillé fondu dans l'ustensile, en le plongeant dans le petit-lait chaud au besoin pour garder le caillé souple. Lorsque le caillé est pétri en une boule Grm, tirez-le et étirez-le en une petite corde et repliez-le sur lui-même, en répétant plusieurs fois jusqu'à ce que la boule de caillé soit lisse, souple et brillante.

11.	Ne surchargez pas le caillé, ou vous durcirez le fromage. Façonnez le caillé en boule et placez-le dans un bol d'eau glacée pendant 10 minutes pour le refroidir et le réduire. Répétez la fusion, le pétrissage, l'étirement, la mise en forme et le refroidissement avec les bandes de caillé restantes.

12.   Faire une saumure légère en dissolvant le ¼ de tasse de sel casher dans le petit-lait chaud, puis refroidissez-le à 50 ° F à 55 ° F. Placez le fromage frais dans la saumure pendant 2 heures. Utiliser immédiatement pour une meilleure saveur, ou conserver dans le petit-lait salé, couvert et réfrigéré, jusqu'à 1 semaine.

23. Fromage ficelle tressé

FAIT 1 livre

- 1 gallon de lait de vache pasteurisé faible en gras (1 pour cent) ou réduit en gras (2 pour cent)
- 1 cuillère à café de culture starter thermophile en poudre Thermo B
- 1 cuillère à café de chlorure de calcium dilué dans ¼ tasse d'eau fraîche non chlorée
- ¾ cuillère à café de présure liquide diluée dans ¼ tasse d'eau fraîche non chlorée
- Sel casher (de préférence de la marque Diamond Crystal) pour le saumurage

1.	Dans une marmite non réactive de 6 pintes, chauffer lentement le lait à 95 ° F; cela devrait prendre environ 25 minutes. Éteignez le feu.

2.	Saupoudrez le démarreur sur le lait et laissez-le se réhydrater pendant 5 minutes. Bien mélanger à l'aide d'un fouet dans un mouvement de haut en bas. Couvrir et maintenir 90 ° F à 95 ° F, en laissant le lait mûrir pendant 45 minutes.

3.	Ajouter le chlorure de calcium dilué et incorporer doucement au fouet. Laisser reposer 10 minutes. Ajouter la présure diluée et fouetter doucement. Couvrir et laisser reposer, en maintenant 90 ° F à 95 ° F pendant 1 heure, ou jusqu'à ce que le caillé donne une pause nette.

4.	Coupez le caillé en morceaux de ½ pouce et laissez reposer pendant 30 minutes, en maintenant un

5.	Température de 90 ° F à 95 ° F. Pendant ce temps, le caillé va remonter et libérer plus de lactosérum. À feu doux, augmentez lentement la température à 105 ° F pendant 30 minutes, en remuant doucement et en vérifiant fréquemment la température et en ajustant la chaleur au besoin.

6.	Si vous augmentez la température trop rapidement, le caillé ne se coagulera pas et ne se liera pas correctement. Une fois que 105 ° F est atteint, retirer du feu et, à l'aide d'une spatule en caoutchouc, remuer doucement pendant

10 minutes sur les bords de la casserole et sous les caillés pour les déplacer.

7. En maintenant la température, laissez le caillé reposer encore 15 minutes; ils couleront au fond.

8. À l'aide d'une écumoire ou d'une cuillère à fentes, transférez le caillé dans une passoire ou une passoire qui sera sur le même pot, en réservant 5 pouces de lactosérum dans le pot.

9. Placez la passoire de caillé sur la casserole. À feu doux, chauffer le lactosérum dans la casserole à 102 ° F à 105 ° F en quelques minutes. Couvrir le caillé dans la passoire avec le couvercle du pot pendant que le petit-lait chauffe; plus de lactosérum s'écoulera dans le pot ci-dessous.

10. Lorsque le lactosérum est à température, retirer du feu et maintenir entre 102 ° F et 105 ° F pendant 2 heures. Le caillé se fondra les uns dans les autres, se liant en une dalle; tournez la dalle deux fois pendant cette période, à l'aide d'une spatule.

11. Lorsque 2 heures se sont écoulées, commencez à tester le pH du caillé avec un pH-mètre ou des bandelettes de pH toutes les 30 minutes. Une fois que le pH tombe en dessous de 5,6, commencez à vérifier toutes les 15 minutes. Une fois que le pH tombe entre 4,9 et 5,2, le caillé est prêt à s'étirer.

12. Transférez le caillé sur une planche à découper. Coupez le caillé en cubes d'environ ½ pouce et mettez-les dans un bol en acier inoxydable propre assez grand pour

les contenir avec beaucoup d'espace libre (le caillé sera recouvert de liquide chaud). Dans une casserole propre, chauffer 4 litres d'eau ou du petit-lait réservé à 170 ° F à 180 ° F. Versez-le sur les caillés pour les recouvrir complètement.

13. En portant des gants résistants à la chaleur, travaillez les cubes de caillé immergés en une grosse boule, pétrissez-la et façonnez-la dans l'eau chaude. Une fois que les caillés sont façonnés en Wrmballe, sortez-la de l'eau et, en travaillant rapidement, tirez-la et étirez-la en une corde de 8 pouces de long.

14. Si le caillé refroidit et devient cassant, plongez-le dans l'eau chaude pour le rendre à nouveau chaud et souple.

15. En travaillant dans le sens de la longueur le long de la corde, tirez des sections de 1 pouce de diamètre extérieur et, en travaillant rapidement, tirez et étirez les longueurs en cordes de 1 pied de long et 1 pouce d'épaisseur, puis repliez-les sur elles-mêmes deux ou trois fois, en vous étirant à chaque fois . Plus les lanières sont étirées, plus le fromage sera filandreux. Placez les longueurs étirées sur une planche à découper.

16. À l'aide de ciseaux de cuisine ou d'un couteau, coupez les longueurs en morceaux de 6 à 8 pouces de long. En groupes de 3, tordez-les ensemble pour ressembler à une tresse. Une fois qu'ils sont formés, placez immédiatement les morceaux dans un bol d'eau glacée pendant 5 minutes pour les refroidir et les réduire.

17.   Faire une lumière saumure en dissolvant 6 onces de sel casher dans tout le lactosérum, en ajoutant de l'eau au besoin pour faire 2 litres et en le refroidissant à 50 ° F à 55 ° F. Cette saumure légère donne un fromage fini moins salé.

18. Pour un fromage fini plus salé, faites 2 litres de saumure saturée et refroidissez-le à 50 ° F à 55 ° F. Placez le fromage frais dans la solution de saumure. Si vous utilisez de la saumure saturée, faites tremper le fromage pendant 10 à 15 minutes; si vous utilisez de la saumure de lactosérum plus faible, vous pouvez laisser le fromage dans la saumure, au réfrigérateur, jusqu'à 4 heures. Retourner le fromage plusieurs fois, que ce soit en utilisant la saumure saturée ou la saumure de lactosérum.

19. Retirer de la saumure et utiliser immédiatement, ou envelopper dans une pellicule de plastique et conserver au réfrigérateur jusqu'à 5 jours, ou sceller sous vide et réfrigérer jusqu'à 1 mois.

24. Fromage à pain

1. Le fromage est cuit pour fondre et développer une fine
    croûte dorée à partir de la graisse qui est ramenée à la
    surface lorsque la plaque de caillé se réchauffe. Il est servi
    avec du pain en guise de collation ou réchauffé pour le
    petit-déjeuner.

2. Pour faire du fromage à pain, faites du fromage ficelle
    tressé jusqu'au point où le caillé coupé fond dans le bol
    d'eau chaude. En portant des gants résistants à la chaleur,
    travaillez le caillé fondu dans une dalle assez grande pour
    remplir votre poêle. Repliez la dalle sur elle-même dans le
    sens de la longueur, puis étirez-la à nouveau à la taille de
    la casserole. Répétez deux fois de plus, en jetant tout
    lactosérum expulsé lors de l'étirement.

3. Préchauffer la plaque chauffante à feu moyen-vif. Placer la plaque dans la poêle chauffée et cuire pour fondre légèrement et former une croûte dorée sur le fond du fromage. À l'aide d'une spatule, renversez-le et faites dorer l'autre côté pendant environ 5 minutes.

4. Retirer du feu et laisser refroidir légèrement le fromage dans la poêle. Retirer de la poêle et couper en tranches et servir encore chaud. Le fromage à pain peut être emballé sous vide ou bien emballé dans du papier d'aluminium et réfrigéré jusqu'à 3 mois. Pour servir, réchauffez-le dans un four à 350 ° F ou sous le gril.

25. Kasseri

FAIT deux fromages d'une livre

- 5 litres de lait de vache entier pasteurisé
- 2 litres de lait de chèvre pasteurisé
- 1 quart demi-demi pasteurisé
- ¼ cuillère à café de culture starter thermophile en poudre Thermo B
- 1 cuillère à café de poudre de lipase douce dissoute dans ¼ tasse d'eau froide non chlorée 20 minutes avant utilisation

- 1 cuillère à café de chlorure de calcium dilué dans ¼ tasse d'eau froide non chlorée (à omettre si vous utilisez tout le lait cru)

- 1 cuillère à café de présure liquide diluée dans ¼ tasse d'eau fraîche non chlorée

- Sel casher (de préférence de marque Diamond Crystal) ou sel au fromage

1.   Mélanger les laits et la moitié et la moitié dans une marmite de 10 litres dans un bain-marie à 108 ° F à feu doux. Porter le lait à 98 ° F pendant 12 minutes. Éteignez le feu.

2.   Saupoudrez le démarreur sur le lait et laissez-le se réhydrater pendant 5 minutes. Bien mélanger à l'aide d'un fouet dans un mouvement de haut en bas. Couvrir et maintenir 98 ° F, en laissant le lait mûrir pendant 45 minutes. Ajouter la lipase dissoute et incorporer doucement au fouet. Laisser reposer 10 minutes. Ajouter le chlorure de calcium dilué et fouetter doucement pendant 1 minute. Laisser reposer 5 minutes. Ajouter la présure diluée et fouetter doucement pendant 1 minute. Couvrir et laisser reposer, en maintenant 98 ° F pendant 45minutes, ou jusqu'à ce que le caillé donne une pause nette.

3.   Utilisant un fouettez, coupez doucement le caillé en morceaux de la taille d'un haricot et laissez reposer pendant 10 minutes, en maintenant 98 ° F. Cela aide à réduire le caillé. À feu doux, augmentez lentement la température du bain-marie pour que le lait atteigne 104 ° F en 30 minutes.

4.   Remuez doucement de temps en temps et vérifiez fréquemment la température et ajustez la chaleur au besoin. Si vous augmentez la température trop rapidement, le caillé ne se coagulera pas et ne se liera pas correctement.

5. Une fois que 104 ° F est atteint, retirer du feu et, à l'aide d'une spatule en caoutchouc, remuer doucement pendant 10 minutes sur les bords de la casserole et sous le caillé pour les déplacer. En maintenant la température, laissez le caillé reposer encore 15 minutes; ils couleront au fond.

6. Tapissez une passoire de mousseline de beurre humide, placez-la sur une autre casserole et versez-y le caillé avec une fente cuillère. Laissez les caillés s'égoutter pendant 15 à 20 minutes ou jusqu'à ce qu'ils aient cessé de couler.

7. Soulevez le chiffon et le caillé de la passoire et placez-les sur une planche à découper. À l'aide de vos mains, compressez le caillé en une forme rectangulaire Wat et enroulez le chiffon autour pour le fixer. Placer lepaquet de caillé sur un égouttoir placé sur un plateau, couvrez le paquet avec un autre plateau et placez un poids de 3 livres sur le dessus. Presser et laisser égoutter à température ambiante pendant 6 à 7 heures ou toute la nuit entre 50 ° F et 55 ° F.

8. Chauffer 3 litres d'eau à 175 ° F. Ouvrez le paquet de caillé et coupez la dalle en tranches de 1 pouce. Placer les tranches dans la casserole d'eau à 175 ° F.

9. Laisser reposer environ 30 secondes pour chauffer, puis, en portant des gants résistants à la chaleur, vérifier l'état de préparation du caillé en écrémant une tranche de caillé et en la pressant et en la pétrissant avec vos Qngers. Tenez une extrémité de la pièce et laissez-la s'étirer de son

propre poids, puis tirez dessus pour l'étirer en une ficelle. Si cet étirement se produit facilement, le caillé est prêt à être façonné. Si l'étirement ne se fait pas facilement, gardez le caillé dans l'eau chaude jusqu'à ce qu'il soit facilement extensible.

10. Toujours en portant des gants résistants à la chaleur, travaillez les tranches de caillé immergées en une grosse boule, pétrissez et étirez jusqu'à ce que la balle soit lisse. Soulevez le ballon hors de l'eau et, en travaillantrapidement, pressez-le dans deux moules à fromage carrés ou rectangulaires de 5 pouces. Si le caillé refroidit et devient cassant pendant que vous le travaillez, plongez la masse dans l'eau chaude pour la réchauffer et la rendre souple.

11. Placer les moules sur une grille d'égouttage au-dessus d'une casserole et laisser égoutter le caillé pendant 2 heures à température ambiante, en renversant les fromages deux ou trois fois en les sortant des moules, en les retournant et en les replaçant dans les moules.

12. Couvrir la lèchefrite et le moule avec un couvercle ou un torchon pour garder les fromages au chaud et laisser égoutter 12 heures à température ambiante. Ce processus libère plus de lactosérum, qui doit être égoutté périodiquement.

13. Retirez les fromages de leurs moules et placez-les sur un tapis à fromage sur une grille d'égouttage posée au-dessus d'une casserole. Frottez le dessus des fromages

avec du sel et laissez-les égoutter 2 heures à température ambiante.

14. Retourner les fromages et frotter les dessus non salés. Laissez-les égoutter pendant 24 heures à température ambiante. Répétez le processus une fois de plus: salage, égouttage pendant 2 heures, salage et égouttage pendant 24 heures.

15.   Rincer doucement le sel des fromages à l'eau froide. Assécher les fromages avec une serviette en papier,puis placez-les sur un tapis de fromage dans une boîte d'affinage à 65 ° F et 85 pour cent d'humidité relative.

16. Retournez les fromages tous les jours pendant 1 semaine, en essuyant toute moisissure indésirable avec une étamine imbibée d'une solution de vinaigre-sel et en essuyant les côtés de la boîte. Retourner les fromages deux fois par semaine par la suite. Âge de 2 à 4 mois. Une fois vieilli à votre goût, enveloppez les fromages dans du papier d'aluminium et réfrigérez jusqu'à 2 mois de plus.

26. Provolone

FAIT 1 livre

- 1 gallon de lait de vache ou de chèvre entier pasteurisé
- 1 cuillère à café de culture starter thermophile en poudre Thermo B

- 1 cuillère à café de poudre de lipase forte dissoute dans ¼ tasse d'eau froide non chlorée 20 minutes avant utilisation
- 1 cuillère à café de chlorure de calcium dilué dans ¼ tasse d'eau fraîche non chlorée
- 1 cuillère à café de présure liquide diluée dans ¼ tasse d'eau fraîche non chlorée Sel casher (de préférence de marque Diamond Crystal) ou sel de fromage pour le saumurage

1. Dans une marmite non réactive de 6 pintes, chauffer lentement le lait à 97 ° F à feu doux; cela devrait prendre environ 25 minutes. Éteignez le feu.

2. Saupoudrez le démarreur sur le lait et laissez-le se réhydrater pendant 5 minutes. Bien mélanger à l'aide d'un fouet dans un mouvement de haut en bas. Couvrir, laisser reposer et maintenir 97 ° F, en laissant le lait mûrir pendant 45 minutes. Ajouter la lipase diluée et incorporer doucement au fouet. Laisser reposer 10 minutes. Ajouter le chlorure de calcium dilué et fouetter doucement. Ajouter la présure diluée et fouetter doucement. Couvrir et laisser reposer, en maintenant 97 ° F pendant 1heure, ou jusqu'à ce que le caillé donne une pause nette.

3. Coupez le caillé en morceaux de ½ pouce et laissez reposer pendant 30 minutes, en maintenant 97 ° F. À feu doux, augmentez lentement la température à 108 ° F en 35 minutes. Remuez doucement de temps en temps et vérifiez fréquemment la température et ajustez la chaleur au besoin. Si vous augmentez la température trop

rapidement, le caillé ne se coagulera pas et ne se liera pas correctement.

4. Une fois que 108 ° F est atteint, retirer du feu et, à l'aide d'une spatule en caoutchouc, remuer doucement pendant 10 minutes sur les bords de la casserole et sous le caillé pour les déplacer. En maintenant la température, laissez le caillé reposer encore 15 minutes; ils couleront au fond.

5. À l'aide d'une écumoire ou d'une cuillère à trous, transférez le caillé dans une passoire ou une passoire placée au-dessus d'une autre casserole et laissez-les égoutter pendant 10 minutes ou jusqu'à ce que le lactosérum cesse de couler. Versez le lactosérum du pot d'origine dans le nouveau pot et mettez-le de côté.

6. Remettez doucement le caillé égoutté dans le pot d'origine et placez-le dans un bain-marie de 112 ° F à 115 ° F pour amener le caillé à 102 ° F à 105 ° F. Maintenez la température du caillé entre 102 ° F et 105 ° F pendant 2 heures. Le caillé se fondra les uns dans les autres, se liant en une dalle; tournez la dalle deux fois pendant cette période, à l'aide d'une spatule.

7. Lorsque 2 heures se sont écoulées, commencez à tester le pH du caillé avec un pH-mètre ou des bandelettes de pH toutes les 30 minutes. Une fois que le pH tombe en dessous de 5,6, commencez à vérifier toutes les 15 minutes. Une fois que le pH tombe entre 4,9 et 5,2, le caillé est prêt à s'étirer.

8. Transférer le caillé dans une passoire, laisser égoutter 10 minutes, puis déposer sur une planche à découper. Coupez le caillé en cubes de 1 pouce et mettez-les dans

un bol en acier inoxydable suffisamment grand pour les contenir avec beaucoup d'espace libre (le caillé sera recouvert de liquide chaud). Dans une casserole propre, chauffer 4 litres d'eau ou du petit-lait réservé à 170 ° F à 180 ° F et le verser sur le caillé pour couvrir complètement.

9.   En portant des gants résistants à la chaleur, travaillez les cubes de caillé immergés en une seule grosse boule, pétrissez-la et façonnez-la dans l'eau chaude. Une fois que le caillé est formé en une boule Wrm, sortez-le de l'eau et, en travaillant rapidement, tirez-le et étirez-le en une corde d'un pied de long. Si la corde de caillé refroidit et devient cassante, plongez-la dans l'eau chaude pour la rendre à nouveau chaude et souple.

10. Enroulez la corde sur elle-même, puis tirez et étirez-la à nouveau deux ou trois fois, ou jusqu'à ce que le caillé soit brillant et lisse. (Le processus est quelque chose comme l'étirement du taKy.) Faites attention de ne pas surcharger le caillé, sinon vous allez durcir le fromage.

11.   Pincez la quantité de caillé que vous souhaitez façonner. Si vous façonnez une balle, étirez la surface de la balle pour qu'elle devienne serrée et brillante; rentrez les extrémités dans le dessous comme si vous formiez une boule de pâte à pizza. Une fois que le fromage a pris la forme désirée, plongez-le immédiatement dans un bol d'eau glacée pendant 10 minutes pour le refroidir et le remonter. Retirer le ou les fromages en forme de l'eau et laisser sécher à l'air pendant la préparation de la saumure.

12. Faire une saumure légère, utilisez tout le lactosérum réservé, en ajoutant de l'eau au besoin pour égaler 2 litres, dissolvez 6 onces de sel casher et refroidissez-le à 50 ° F à 55 ° F. Il en résulte un fromage Vni moins salé. Pour un fromage fondu plus salé, faites 2 litres de saumure saturée et laissez refroidir à 50 ° F à 55 ° F. Placez le fromage frais dans la solution de saumure. Si vous utilisez de la saumure saturée, faites tremper le fromage pendant 2 heures, en le renversant plusieurs fois. Si vous utilisez de la saumure de lactosérum plus faible, vous pouvez laisser le fromage dans la saumure, réfrigéré, jusqu'à 24 heures, en le renversant plusieurs fois. Retirer de la saumure et sécher en tapotant. Attachez une longueur de ficelle autour de chaque fromage pour accrocher.

13. Suspendez les fromages pendant 3 semaines à 50 ° F à 55 ° F et à 80 à 85 pour cent d'humidité. Utilisez immédiatement, ou placez dans votre réfrigérateur (à 40 ° F) pendant 2 à 3 mois pour un Provolone doux, ou 3 à 12 mois pour un Provolone pointu. Si vous choisissez de fumer le Provolone, consultez les instructions pour fumer.

27. Scamorza fumé

1. Ici, je présente une version fumée de Scamorza utilisant du caillé de mozzarella. Suivez la recette de la mozzarella traditionnelle jusqu'au moment où le caillé a été pétri et étiré jusqu'à ce qu'il soit brillant et lisse.
2. Voir les instructions sur la procédure de fumage. Vous aurez besoin d'un grand bol pour un bain de glace, d'une saumure légère ou saturée, de brins de ra a de 2 pieds de long à nouer autour du cou de chaque fromage en forme et de cire pour l'enrobage.

3. Une pincée de la quantité de fromage que vous souhaitez façonner. L'une des formes traditionnelles ressemble à un petit sablier ou à un moulin à poivre, avec un petit bouton en haut et un fond bulbeux plus grand. Le dessus est formé d'un tiers de la balle, le fond étant la plus grande partie.

4. Pendant que le caillé est malléable, placez la boule de caillé étiré chaud dans la paume de votre main. À l'aide de votre pouce et de votre avant, pressez doucement la balle pour former un cou de 1 ½ pouce de diamètre à environ un tiers du haut, en tournant pendant la mise en forme.

5. Ensuite, mettez le fromage dans un bain de glace pendant 1 heure pour faire remonter la forme. Égoutter, puis envelopper le cou avec ra a, laissant une queue pour accrocher le fromage, comme c'est traditionnel.

6. Préparez une saumure légère: Vous pouvez utiliser tout le lactosérum réservé pour la saumure, en y ajoutant de l'eau au besoin pour égaler 2 litres, puis dissoudre 6 onces de sel casher dedans et le refroidir à 50 ° F à 55 ° F. Il en résulte un fromage fini moins salé. Pour un fromage fini plus salé, faites 2 litres de saumure saturée et refroidissez-le à 50 ° F à 55 ° F. Placer le fromage dans la saumure légère pendant 1 heure ou dans la saumure saturée pendant 20 minutes.

7. Retirer le fromage de la saumure et laisser sécher à l'air pendant 2 jours. Vous pouvez vous arrêter à ce stade ou continuer à fumer le fromage comme décrit. Enduire de cire le fromage en tenant la queue de ra a et en trempant le fromage dans un pot profond de cire pour le recouvrir complètement.

8. Suspendez pour sécher à l'air et installez la cire. Le fromage peut être conservé par scellage sous vide, puis réfrigéré. Il est prêt à manger lorsqu'il est ciré ou il peut être vieilli.

FROMAGES SEMISOFT, FERME ET DUR

28. Aneth Havarti

FAIT 2 livres

- 2 gallons de lait de vache entier pasteurisé
- 1 cuillère à café de culture starter mésophile en poudre MM 100
- 1 cuillère à café de chlorure de calcium dilué dans ¼ tasse d'eau fraîche non chlorée
- 1 cuillère à café de présure liquide diluée dans ¼ tasse d'eau fraîche non chlorée
- 4 cuillères à café de sel casher (de préférence de marque Diamond Crystal) ou de sel au fromage
- 1 cuillère à café d'aneth séché

1. Dans une marmite non réactive de 10 litres, chauffer le lait à feu doux à 70 ° F; cela devrait prendre environ 12 minutes. Éteignez le feu.

2. Saupoudrez le démarreur sur le lait et laissez-le se réhydrater pendant 5 minutes. Bien mélanger à l'aide d'un fouet dans un mouvement de haut en bas pendant 1 minute. Couvrir et maintenir 70 ° F, en laissant le lait mûrir pendant 45 minutes. Ajouter le chlorure de calcium et fouetter doucement pendant 1 minute. Augmentez lentement le feu à 86 ° F en 7 à 8 minutes, puis ajoutez la présure et fouettez doucement pendant 1 minute. Couvrir et laisser reposer, en maintenant 86 ° F pendant 30 à 45minutes, ou jusqu'à ce que le caillé donne une pause nette.

3. Maintien toujours 86 °F, couper le caillé en morceaux de ½ pouce et laisser reposer 5 minutes. Remuez doucement le caillé pendant 10 minutes, puis laissez reposer 5 minutes. Versez environ un tiers du lactosérum (cela devrait être environ 2½ litres) et ajoutez 3 tasses d'eau à 130 ° F. Lorsque la température du caillé et du lactosérum atteint 92 ° F à 94 ° F, ajoutez encore 3 tasses d'eau à 130 ° F.

4. Remuez doucement pendant 5 minutes, puis ajoutez encore 2 tasses d'eau à 130 ° F. Ajouter le sel et remuer pour dissoudre. Vérifiez la température et ajoutez de l'eau à 130 ° F au besoin pour amener le caillé et le lactosérum à environ 97 ° F. Continuez à remuer jusqu'à ce que le caillé soit élastique dans votre main une fois pressé, environ 20 minutes. Louchez suffisamment de lactosérum pour exposer le caillé. Incorporer doucement l'aneth.

5.   Tapisser un moule à tomme de 8 pouces (avec un suiveur) de mousseline de beurre humide et le placer sur une grille d'égouttage. Versez doucement le caillé dans le moule et appuyez dessus avec vos mains. Tirez le chiffon serré et lisse, en supprimant les plis. Pliez les queues de tissu sur le caillé, placez le suiveur sur le dessus et appuyez à 8 livres pendant 30 minutes.

6.   Retirez le fromage du moule, décollez le chiffon, glissez le fromage dessus et redressez-le avec le même chiffon. Appuyez à nouveau à 8 livres, en redressant toutes les 30 minutes pendant jusqu'à 3 heures, ou jusqu'à ce que le lactosérum cesse de s'écouler.

7.   Laisser le fromage dans le moule sans pression pendant environ 3 heures de plus avant de le mettre au réfrigérateur pendant 12 heures ou toute la nuit. Retirez le fromage du moule. Il est maintenant prêt à être consommé, ou il peut être vieilli pour une saveur plus intense.

8.   Faire 2 litres de saumure saturée dans un récipient non corrosif avec un couvercle et refroidir à 50 ° F à 55 ° F. Plongez le fromage dans la saumure et laissez tremper entre 50 ° F et 55 ° F pendant 8 heures ou toute la nuit.

9.   Retirez le fromage de la saumure et séchez-le. Sécher à l'air à température ambiante sur une grille pendant 12 heures, puis vieillir à 55 ° F et 85 pour cent d'humidité sur un tapis de fromage placé dans une boîte d'affinage, [pourboire tous les jours. Faites vieillir pendant 1 mois,

ou plus si vous le souhaitez, en éliminant toute moisissure indésirable avec une étamine imbibée d'une solution de vinaigre-sel.

29. Boule d'Edam

FAIT deux boules de 1 livre

- 2 gallons de lait de vache pasteurisé à teneur réduite en matières grasses (2 pour cent)
- 1/2 cuillère à café de culture starter mésophile en poudre Meso II ou MM 100

- 1 cuillère à café de colorant liquide rocou dilué dans ⅓ tasse d'eau fraîche non chlorée
- 1 cuillère à café de chlorure de calcium dilué dans ¼ tasse d'eau fraîche non chlorée

- 1 cuillère à café de présure liquide diluée dans ¼ tasse d'eau fraîche non chlorée Sel casher (de préférence de marque Diamond Crystal) ou sel au fromage

1. Dans une marmite non réactive de 10 litres, chauffer le lait à feu doux à 88 ° F; cela devrait prendre environ 15 minutes. Éteignez le feu.

2. Saupoudrez le démarreur sur le lait et laissez-le se réhydrater pendant 5 minutes. Bien mélanger à l'aide d'un fouet dans un mouvement de haut en bas. Couvrir et maintenir 88 ° F, en laissant le lait mûrir pendant 30 minutes. Ajouter le rocou et fouetter doucement pendant 1 minute. Ajouter le chlorure de calcium et fouetter doucement pendant 1 minute, puis ajouter la présure de la même manière. Couvrir et laisser reposer, en maintenant 88 ° F pendant 30 à 45 minutes, ou jusqu'à ce que le caillé donne une pause nette.

3. Coupez le caillé en morceaux de ½ pouce et laissez reposer 5 minutes. À feu doux, augmentez lentement la température à 92 ° F en 15 minutes. Remuez doucement et fréquemment pour éviter que les caillés ne s'assemblent. Le caillé libèrera plus de lactosérum, légèrement Xrm et rétrécira à la taille de petites arachides.

4. Une fois que 92 ° F est atteint, retirer du feu, maintenir la température et laisser reposer le caillé pendant 30 minutes; ils couleront au fond. Versez suffisamment de lactosérum pour exposer le caillé et réservez le lactosérum.

5. Remuez les caillés en continu pendant 20 minutes, ou jusqu'à ce qu'ils soient emmêlés et collent ensemble lorsqu'ils sont pressés dans votre main. Ajoutez juste assez d'eau tiède (environ 2 tasses) pour porter à 99 ° F, puis maintenez la température pendant 20 minutes. Le caillé se résorbera.

6. Placez une passoire sur un bol ou un seau assez grand pour attraper le lactosérum. Tapissez-le de mousseline de beurre humide et versez-y le caillé. Laisser égoutter le caillé pendant 5 minutes, puis mélanger avec 1 cuillère à soupe de sel. Divisez le caillé en 2 portions, placez chaque portion sur de la mousseline humide et attachez les coins de la mousseline pour créer des sacs serrés autour du caillé. Façonnez le caillé en boules dans la mousseline et suspendez-le pour laisser égoutter pendant 30 minutes ou jusqu'à ce que le lactosérum cesse de basculer.

7. Mettre le petit-lait réservé dans la marmite à fromage et chauffer à feu moyen à 122 ° F. Éteignez le feu. Sortez les boules de caillé du torchon et plongez-les dans le petit-lait chaud pendant 20 minutes, en maintenant la température. Tournez les boules plusieurs fois pour assurer un chauffage uniforme. Remettez les boules dans leurs sacs en tissu, puis suspendez-les pour laisser égoutter et sécher à l'air libre à température ambiante pendant 6 heures.

8. Faire 2 litres de moyen saumure dans un récipient non corrosif avec un couvercle et refroidir à 50 ° F à 55 ° F. Retirez les fromages du chiffon. Placer dans la

saumure, couvrir et laisser tremper toute la nuit entre 50 °
F et 55 ° F.

9.   Retirez les fromages de la saumure et séchez-les.
Sécher à l'air à température ambiante sur un tapis de
fromage pendant 1 à 2 jours, ou jusqu'à ce que la surface
soit sèche au toucher.

10.   Cirer le fromage avec de la cire liquide puis de la cire à
fromage. Faire mûrir à 50 ° F à 55 ° F et 85 pour cent
d'humidité pendant 2 à 3mois, en inclinant le fromage
tous les jours pour un affinage uniforme. Vieillir 6 mois
pour une saveur optimale, en maintenant 50 ° F à 55 ° F
et 85 pour cent d'humidité.

30. Fontina

FAIT un fromage de 1½ livre ou deux fromages de 12 onces

- 2 gallons de lait de vache entier pasteurisé
- 1/2 cuillère à café de culture starter mésophile en poudre Meso II ou MM 100
- 1 cuillère à café de poudre de lipase douce diluée dans ¼ tasse d'eau fraîche non chlorée 20 minutes avant utilisation
- 1 cuillère à café de chlorure de calcium dilué dans ¼ tasse d'eau fraîche non chlorée
- 1 cuillère à café de présure liquide diluée dans ¼ tasse d'eau fraîche non chlorée
- Sel casher (de préférence de marque Diamond Crystal) ou sel de fromage pour le saumurage

1. Dans une marmite non réactive de 10 litres, chauffer le lait à feu doux à 88 ° F; cela devrait prendre environ 20 minutes. Éteignez le feu.

2. Saupoudrez le démarreur sur le lait et laissez-le se réhydrater pendant 5 minutes. Bien mélanger à l'aide d'un fouet dans un mouvement de haut en bas pendant 20 coups. Couvrir et maintenir 88 ° F, en laissant le lait mûrir pendant 30 minutes. Ajouter la lipase et fouetter doucement pendant 1 minute. Ajouter le chlorure de calcium et fouetter doucement pendant 1 minute, puis ajouter la présure de la même manière. Couvrir et laisser reposer, en maintenant 88 ° F pendant 45 à 50 minutes, ou jusqu'à ce que le caillé donne une pause nette.

3. En maintenant toujours 88 ° F, coupez le caillé en morceaux de la taille d'un pois et remuez pendant 10 minutes. Maintenirtempérature, laissez reposer le caillé pendant 30 minutes; ils couleront au fond du pot.

4. Chauffer 1 litre d'eau à 145 ° F et maintenir cette température. LoucheoG assez de lactosérum pour exposer le caillé. Versez suffisamment d'eau chaude pour porter la température à 102 ° F.

5. Remuez les caillés en continu pendant 10 minutes, ou jusqu'à ce qu'ils soient emmêlés et collent ensemble lorsqu'ils sont pressés dans votre main. Le caillé aura la moitié de sa taille d'origine à ce stade. Encore une fois, versez une louche ou suffisamment de lactosérum pour exposer le caillé.

6.   Tapisser un moule à tomme de 8 pouces (avec un suiveur) ou 2 moules à fromage frais avec de la mousseline de beurre humide et placer sur une grille d'égouttage. Emballez le caillé égoutté dans le ou les moules. Tirez le chiffon vers le haut et lissez autour ducaillé, couvrir avec les queues de mousseline humide (et le suiveur si vous utilisez le moule à tomme), et presser à 5 livres pendant 15 minutes.

7.   Retirer le fromage du moule, déballer le chiffon, enrober le fromage et le redresser, puis presser à 10 à 20 livres pendant 8 heures.

8.   Faire 2 litres de saumure moyennement lourde dans un récipient non corrosif avec un couvercle et refroidir à 50 ° F à 55 ° F. Retirez le fromage du moule ou des moules et du chiffon.

9.   Placer dans la saumure et faire tremper à 50 ° F à 55 ° F, couvert, pendant 12 heures, en basculant plusieurs fois pendant ce temps.

10.   Retirez le fromage de la saumure et séchez-le. Sécher à l'air à température ambiante sur un tapis de fromage pendant 1 à 2 jours, ou jusqu'à ce que la surface soit sèche au toucher.

11.   Placer sur une grille dans une boîte de maturation et mûrir à 55 ° F à 60 ° F et 90 à 95 pour cent d'humidité pendant au moins 2 mois, faire basculer le fromage tous les jours pour un affinage uniforme.

12. Après 3 jours, essuyez le fromage avec une simple solution de saumure, puis répétez tous les 2 jours pendant 1 mois. Continuez à essuyer et ip deux fois par semaine pendant la durée de la maturation: de 2 mois à 6 mois ou plus, en maintenant 55 ° F à 60 ° F et 90 à 95 pour cent d'humidité.

31. Gouda

FAIT 1½ livres

- 2 gallons de lait de vache entier pasteurisé
- ¼ cuillère à café de culture de démarreur mésophile en poudre Meso II
- 1 cuillère à café de chlorure de calcium dilué dans ¼ tasse d'eau fraîche non chlorée
- 1 cuillère à café de présure liquide diluée dans ¼ tasse d'eau fraîche non chlorée
- Sel casher (de préférence de marque Diamond Crystal) ou sel de fromage pour le saumurage

1. Chauffer le lait dans une marmite de 10 litres dans un bain-marie à 96 ° F à feu doux. Apportez le lait à 86 ° F pendant 15 minutes. Éteignez le feu.

2.   Saupoudrez le démarreur sur le lait et laissez-le se
réhydrater pendant 5 minutes. Bien mélanger à l'aide d'un
fouet dans un mouvement de haut en bas.

3.   Couvrir et maintenir 86 ° F, permettant au lait de mûrir
pendant quelques minutes. Ajouter le chlorure de calcium
et fouetter doucement pendant 1 minute, puis ajouter la
présure et fouetter doucement pendant 1 minute. Couvrir
et laisser reposer, en maintenant 86 ° F pendant 30 à 45
minutes, ou jusqu'à ce que le caillé donne une pause nette.

4.   Maintien toujours 86 °F, couper le caillé en morceaux
de ½ pouce et laisser reposer 5 minutes. Remuer pendant
5 minutes, puis laisser reposer 5 minutes de plus.

5.   Chauffez 2 litres d'eau à 140 ° F et maintenez cette
température. Lorsque le caillé descend au fond du pot,
versez 2 tasses de lactosérum,puis ajoutez suffisamment
d'eau à 140 ° F pour amener le caillé à 92 ° F
(commencez par 2 tasses). Remuez doucement pendant
10 minutes, puis laissez le caillé reposer à nouveau.

6.   Louche oG assez de lactosérum pour exposer le
dessus du caillé, puis ajoutez suffisamment d'eau à 140 °
F pour amener le caillé à 98 ° F (commencez par 2
tasses). En maintenant le caillé à cette température,
remuez doucement pendant 20 minutes ou jusqu'à ce que
le caillé ait rétréci à la taille de petits haricots. Laissez le
caillé reposer pendant 10 minutes; ils se tricoteront
ensemble au fond du pot.

7.　　Tapisser un moule à tomme de 8 pouces (avec un suiveur) de mousseline de beurre humide et le placer sur une grille d'égouttage. Réchauffez une passoire avec de l'eau chaude. Égoutter le lactosérum et transférerle caillé tricoté à la passoire chaude. Laisser égoutter pendant 5 minutes.

8.　À l'aide de vos mains, casser des morceaux de 1 pouce de caillé et les répartir dans le moule recouvert de tissu, en remplissant le moule avec tous les caillés. Appuyez sur le caillé dans le moule avec vos mains au fur et à mesure. Tirez le chiffon vers le haut et lissez autour du caillé, couvrez avec les queues du tissu et du suiveur, et appuyez à 10 livres pendant 30 minutes. Retirer le fromage du moule, déballer le chiffon, enrober le fromage et le redresser, puis presser à 15 livres pendant 6 à 8 heures.

9.　　Faire 2 litres de mi-lourd saumure dans un récipient non corrosif avec un couvercle et refroidir à 50 ° F à 55 ° F. Retirez le fromage du moule et du chiffon. Placer dans la saumure et faire tremper entre 50 ° F et 55 ° F pendant 8 heures ou toute la nuit.

10.　　Retirez le fromage de la saumure et séchez-le. Placer sur une grille et sécher à l'air à température ambiante pendant 1 à 2 jours, ou jusqu'à ce que la surface soit sèche au toucher.

11.　　Placez sur un tapis dans une boîte de maturation, couvrez sans serrer et laissez vieillir entre 50 ° F et 55 ° F et 85% d'humidité pendant 1 semaine, en tournant tous les jours. Retirez toute moisissure indésirable avec une étamine imbibée d'une solution de vinaigre-sel.

12.   Enrober le fromage de cire et vieillir à 55 ° F pendant 1 mois et jusqu'à 6 mois.

32. Fromage Jack

FAIT 2 livres

- 2 gallons de lait de vache entier pasteurisé
- 1 cuillère à café de culture starter mésophile en poudre MA 4001
- 1 cuillère à café de chlorure de calcium dilué dans ¼ tasse d'eau fraîche non chlorée
- 1 cuillère à café de présure liquide diluée dans ¼ tasse d'eau fraîche non chlorée
- 2 cuillères à soupe de sel casher (de préférence de marque Diamond Crystal) ou de sel au fromage

1. Dans une marmite non réactive de 10 litres, chauffer le lait à basse température à 86 ° F; cela devrait prendre environ 15 minutes. Éteignez le feu.

2. Saupoudrez le démarreur sur le lait et laissez-le se réhydrater pendant 5 minutes. Bien mélanger à l'aide d'un fouet dans un mouvement de haut en bas. Couvrir et maintenir 86 ° F, en laissant le lait mûrir pendant 1 heure. Ajouter le chlorure de calcium et fouetter doucement pendant 1 minute. Ajouter la présure et fouetter doucement pendant 1 minute. Couvrir et laisser reposer, en maintenant 86 ° F pendant 30 à 45minutes, ou jusqu'à ce que le caillé donne une pause nette.

3. Maintien toujours 86 °F, coupez le caillé en morceaux de ¾ de pouce et laissez reposer 5 minutes. À feu doux, amener lentement le caillé à 102 ° F en 40 minutes, en remuant continuellement pour empêcher le caillé de se mater. Ils libéreront du lactosérum, légèrement Krm et rétréciront à la taille des haricots secs.

4. Maintenir 102 ° F et laisser reposer le caillé pendant 30 minutes; ils couleront au fond. Versez suffisamment de lactosérum pour exposer le caillé. Remuer continuellement pendant 15 à 20 minutes, ou jusqu'à ce que le caillé soit emmêlé et adhère ensemble lorsqu'il est pressé dans votre main.

5. Placez une passoire sur un bol ou un seau assez grand pour capturer le lactosérum. Tapissez-le de mousseline de beurre humide et versez-y le caillé. Laisser égoutter

pendant 5 minutes.puis saupoudrer dans 1 cuillère à soupe de sel et bien mélanger avec vos mains.

6. Rassemblez les extrémités du tissu et tordez-les pour former une boule pour aider à évacuer l'excès d'humidité. Faire rouler la ballea en surface pour libérer plus de lactosérum. Attachez le haut du sac en tissu, appuyez légèrement avec vos mains sur Zatten et placez-le sur une planche à découper posée sur un égouttoir. Placez une deuxième planche à découper sur le dessus du sac aéré, placez un poids de 8 livres (comme un récipient de 1 gallon rempli d'eau) directement sur le fromage et appuyez sur une roue à 75 ° F à 85 ° F pendant 6 heures pour Jack humide ou 8 heures pour Rrmer Jack.

7. Retirez le fromage du sac et séchez-le. Frottez toute la surface avec la cuillère à soupe restante de sel et remettez le fromage sur la grille d'égouttage pour qu'il sèche à l'air.

8. Sécher à température ambiante pendant 24 heures ou jusqu'à ce que la surface soit sèche au toucher, en basculant une fois.

9. Placez le fromage sur un tapis dans une boîte d'affinage et faites-le mûrir à une température de 50 ° F à 55 ° F et de 80 à 85 pour cent d'humidité pendant 2 à 6 semaines, en expédiant tous les jours.

10. Lorsque la maturité désirée est atteinte, sceller sous vide ou bien envelopper dans une pellicule plastique et réfrigérer jusqu'à ce que vous soyez prêt à manger. Une

fois ouvert, ce fromage séchera et durcira avec le temps, créant un merveilleux fromage à râper.

FROMAGE FABRIQUÉ À LA MAIN

33. Juste jack

FAIT 1 livre

- 1 gallon de lait de vache entier pasteurisé
- 1 tasse de crème épaisse pasteurisée
- 1 cuillère à café de culture de démarreur mésophile en poudre Meso III
- 1 cuillère à café de chlorure de calcium dilué dans ¼ tasse d'eau fraîche non chlorée
- 1 cuillère à café de présure liquide diluée dans ¼ tasse d'eau fraîche non chlorée
- 1 cuillère à soupe de sel casher (de préférence de marque Diamond Crystal) ou de sel au fromage
- 2 onces de beurre ou de saindoux à température ambiante

1. Dans une marmite non réactive de 6 pintes, chauffer le lait et la crème à feu doux à 89 ° F; cela devrait prendre environ 20 minutes. Éteignez le feu.

2. Saupoudrez le démarreur sur le lait et laissez-le se réhydrater pendant 5 minutes. Bien mélanger à l'aide d'un fouet dans un mouvement de haut en bas. Couvrir et maintenir 89 ° F, en laissant le lait mûrir pendant 45 minutes. Ajouter le chlorure de calcium et fouetter doucement pendant 1 minute. Ajouter la présure et fouetter doucement pendant 1 minute. Couvrir et laisser reposer, en maintenant 89 ° F pendant 35minutes, ou jusqu'à ce que le caillé donne une pause nette.

3. Maintien de 86 ° F à 89 °F, couper le caillé en morceaux de ½ pouce et laisser reposer 10 minutes. À feu doux, porter lentement le caillé à 101 ° F en 35 minutes, en remuant fréquemment pour empêcher le caillé de se mater. Ils libéreront du lactosérum, Jrm légèrement, et rétréciront à la taille des haricots secs.

4. Louchez suffisamment de lactosérum pour exposer le caillé et continuez à remuer pendant 45 à 60 minutes, en maintenant la température entre 98 ° F et 100 ° F. Retirez la majeure partie du lactosérum et ajoutez suffisamment d'eau à 50 ° F pour ramener la température du caillé à 79 ° F. Laisser reposer à cette température pendant 4 minutes.

5. Placez une passoire sur un bol ou un seau assez grand pour capturer le lactosérum. Tapissez-le d'une étamine humide et versez-y le caillé. Gardez le caillé cassé pendant

30 minutes en utilisant doucement vos mains pour empêcher le caillé de se tricoter ensemble,puis saupoudrez de sel. À l'aide de vos mains, mélangez le caillé et le sel pendant 5 minutes.

6. Tapisser un moule à tomme de 5 pouces (avec un suiveur) avec une étamine humide et le placer sur une grille d'égouttage. Louche lecaillé dans le moule, laissez égoutter pendant 10 minutes, puis tirez sur le chiffon et lissez.

7. Pliez les queues de tissu sur le caillé, placez le suiveur sur le dessus et appuyez à 1 livre pendant au moins 15 minutes. Retirer du moule, déballer l'étamine, enrober le fromage et redresser, puis presser à 4 livres pendant au moins 10 heures. Retirez le fromage du moule et laissez-le sécher à l'air à une température de 50 ° F à 55 ° F et de 80 à 85 pour cent d'humidité pendant 24 heures. Cela mettra en place la surface pour le développement de la croûte.

8. Frottez le fromage avec du beurre ou du saindoux, puis bandez-le avec une étamine et vieillissez à 55 ° F et à 65 à 75% d'humidité pendant au moins 2 mois, en le renversant tous les deux jours. Lorsque la maturité désirée est atteinte, sceller sous vide ou bien envelopper dans une pellicule plastique et réfrigérer jusqu'à ce que vous soyez prêt à manger. Ouvert, le fromage va sécher et durcir avec le temps, créant un merveilleux fromage à râper.

34. Tomme de style alpin

FAIT 2 livres

- 2 gallons de lait de vache entier pasteurisé
- 1 cuillère à café de culture de démarreur mésophile en poudre Meso II
- 1 cuillère à café de culture starter thermophile en poudre Thermo C
- 1 cuillère à café de chlorure de calcium dilué dans ¼ tasse d'eau fraîche non chlorée

- 1 cuillère à café de présure liquide diluée dans ¼ tasse d'eau fraîche non chlorée
- 1 cuillère à soupe de sel casher (de préférence de marque Diamond Crystal) ou de sel au fromage, et plus pour le saumurage

1. Dans une marmite non réactive de 10 litres, chauffer le lait à feu doux à 70 ° F; cela devrait prendre environ 10 minutes. Éteignez le feu.

2. Saupoudrer les cultures starter sur le lait et laisser réhydrater pendant 5 minutes. Bien mélanger à l'aide d'un fouet dans un mouvement de haut en bas. À feu doux, augmentez lentement la température à 90 ° F. Ajouter le chlorure de calcium et fouetter doucement, puis ajouter la présure de la même manière. Couvrir et maintenir 90 ° F, en laissant le lait mûrir pendant 45minutes, ou jusqu'à ce que le caillé donne une pause nette.

3. Toujours en maintenant 90 ° F, coupez le caillé à la taille d'un petit pois. Laisser reposer le caillé pendant 5 minutes,puis remuez doucement pendant 10 minutes. Vous pouvez couper à nouveau les caillés s'ils ne sont pas de taille uniforme.

4. Augmentez lentement la température de 1 ° F toutes les 2 minutes, en remuant continuellement, jusqu'à ce que le caillé ait atteint 95 ° F. En continuant à remuer, augmentez la température un peu plus vite - 1 ° F toutes les minutes - jusqu'à ce qu'elle atteigne 100 ° F. En maintenant cette température, laissez le caillé reposer environ 5 minutes.

5. Louche oG le lactosérum à environ 1 pouce au-dessus du caillé. Placez une passoire sur un bol ou un seau assez grand pour capturer le lactosérum. Tapissez-le de mousseline de beurre humide et versez-y le caillé. Laisser

égoutter pendant 10 minutes ou jusqu'à ce que le caillé cesse de laisser tomber le lactosérum.

6.   Placez un moule à tomme de 8 pouces (avec suiveur) sur un égouttoir. Placez le sac de caillé égoutté dans le moule. Pliez les queues de tissu sur le caillé, réglez le suiveursur le dessus, et appuyez à 10 livres pendant 15 minutes. Retirer le fromage du moule, déballer le chiffon, essuyer le fromage et redresser. Appuyez à 20 livres pendant 15 minutes, puis réparez à nouveau. Continuez à appuyer à 20 livres pendant un total de 3 heures, en réparant toutes les 30 minutes.

7.   Retirer le fromage du moule et laisser sécher à l'air libre à température ambiante pendant 8 heures ou toute une nuit. Frottez la surface du fromage avec environ 1 cuillère à soupe de sel, placez-le sur un égouttoir et couvrez d'un torchon humide.

8.   Réfrigérez pendant 5 jours, en humidifiant à nouveau la serviette tous les quelques jours pour empêcher la croûte de se dessécher, et en râpant le fromage quotidiennement. Ou au lieu de saler à sec, vous pouvez faire une saumure presque saturée et y immerger le fromage pendant 8 heures, puis sécher en tapotant et réfrigérer.

9.   Vieillir à 50 ° F et 80 à 85 pour cent d'humidité pendant 2 à 4 mois. Si de la moisissure devient visible, badigeonnez le fromage avec une brosse à ongles dédiée ou essuyez-le avec une étamine imbibée d'eau salée. Si la moisissure est persistante, vous pouvez faire couler le fromage sous un filet d'eau froide, puis laisser la croûte

sécher à l'air, en utilisant un petit ventilateur pour faire circuler l'air, avant de le ranger à nouveau.

35. Gruyère

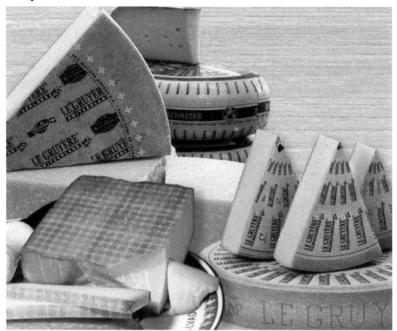

FAIT 1¾ livres

- 2 gallons de lait de vache entier pasteurisé
- 1 cuillère à café de culture starter thermophile en poudre Thermo C
- 1 cuillère à café de chlorure de calcium dilué dans ¼ tasse d'eau fraîche non chlorée
- 1 cuillère à café de présure liquide diluée dans ¼ tasse d'eau fraîche non chlorée
- Sel casher (de préférence de marque Diamond Crystal) ou sel de fromage pour le saumurage

1. Chauffer le lait dans une marmite non réactive de 10 pintes dans un bain-marie à 100 ° F à feu doux. Porter le lait à 90 ° F pendant 20 minutes. Éteignez le feu.

2. Saupoudrez le démarreur sur le lait et laissez-le se réhydrater pendant 5 minutes. Bien mélanger à l'aide d'un fouet dans un mouvement de haut en bas pendant 20 coups. Couvrir et maintenir 90 ° F, en laissant le lait mûrir pendant 30 minutes. Ajouter le chlorure de calcium et fouetter doucement pendant 1 minute. Ajouter la présure et fouetter doucement pendant 1 minute. Couvrir et laisser reposer, en maintenant 90 ° F pendant 30 à 40 minutes, ou jusqu'à ce que le caillé donne une pause nette.

3. Coupez le caillé en morceaux de ¼ de pouce et laissez reposer pendant 5 minutes. À feu doux, augmentez lentement la température à 122 ° F en 1 heure. Retirer du feu et remuer doucement pendant 15 minutes.
4. Le caillé libère du lactosérum, se raffermit légèrement et rétrécit à la taille des cacahuètes. Laisser reposer le caillé pendant 20 minutes. Versez suffisamment de lactosérum pour exposer le caillé.

5. Tapisser un moule de 8 pouces (avec un suiveur) avec une étamine humide et placer sur une grille d'égouttage. Versez doucement le caillé dans le moule et laissez égoutter pendant 5 minutes. Appuyez doucement avec votre main pour compacter le caillé. Tirez l'étamine bien serrée et lisse. Pliez les queues de tissu sur le caillé, placez le suiveur sur le dessus et appuyez à 8 livres pendant 1 heure. Retirer le fromage du moule, déballer l'étamine,

déchirer le fromage et le redresser, puis presser à 10 livres pendant 12 heures.

6. Pendant ce temps, préparez 2 litres d'une solution de saumure presque saturée dans un récipient non corrosif et laissez refroidir entre 50 ° F et 55 ° F. Retirez le fromage du moule et du chiffon et placez-le dans la saumure à 50 ° F à 55 ° F pour faire tremper pendant 12 heures, en le renversant une fois.

7. Retirer de la saumure et sécher en tapotant. Placer sur une grille de séchage, couvrir lâchement d'une étamine et sécher à l'air à température ambiante pendant 8 heures ou jusqu'à ce que la surface soit sèche au toucher. Retourner le fromage au moins une fois pendant le processus de séchage.

8. Placez le fromage dans une boîte d'affinage, couvrez-le légèrement et faites-le mûrir à 54 ° F et à 90% d'humidité, en le versant tous les jours pendant 1 semaine. Frottez avec une solution de saumure simple deux fois par semaine pendant 3 semaines supplémentaires. La solution saline diminuera la quantité de moisissure qui se développe à la surface. Âge pendant 2 mois ou plus. Emballer et conserver au réfrigérateur.

36. Gruyère fumée au thé

1. Dans un bol, mélanger ½ tasse de cassonade, ½ tasse de riz blanc, ¼ tasse de feuilles de thé noir ou oolong et 2 gousses d'anis étoilé entières.

2. Tapisser le fond d'un wok avec du papier d'aluminium, en le serrant étroitement le long de l'intérieur. Mettez le mélange de thé dans le wok.

3. Amenez le fromage à température ambiante, séchez-le et placez-le dans un panier vapeur en bambou ou sur une grille suffisamment grande pour contenir le fromage à au moins 2 pouces au-dessus du mélange de thé. Placez une casserole ou un moule à tarte d'eau glacée d'un diamètre légèrement plus petit que la grille à fumer ou le cuiseur vapeur entre la source de fumée qui couve et le fromage. Le bac à eau agira comme une barrière contre la chaleur

et gardera le fromage suffisamment frais pour absorber correctement la fumée sans fondre. Soutenez le bac à eau avec des liasses de papier d'aluminium si nécessaire.

4. Chauffez le wok à feu moyen jusqu'à ce que le mélange de thé commence à fumer. Couvrir le wok, réduire le feu à doux et fumer le fromage pendant 10 à 12 minutes. Éteignez le feu et continuez à fumer pendant encore 6 à 8 minutes. Retirer le fromage du wok et laisser refroidir, puis envelopper et réfrigérer avant de servir. Jetez les ingrédients à fumer. Le fromage fumé peut être conservé au réfrigérateur jusqu'à 1 mois.

37. Jarlsberg

FAIT 1¾ livres

- 7 litres de lait de vache entier pasteurisé
- 1 litre de lait pasteurisé faible en gras (1 pour cent)
- 1 cuillère à café de culture starter thermophile en poudre Thermo C
- ⅛ cuillère à café de poudre de bactéries propioniques
- 1 cuillère à café de chlorure de calcium dilué dans ¼ tasse d'eau fraîche non chlorée
- 1 cuillère à café de présure liquide diluée dans ¼ tasse d'eau fraîche non chlorée
- Sel casher (de préférence de marque Diamond Crystal) ou sel de fromage pour le saumurage

1. Chauffer les laits dans une marmite non réactive de 10 pintes dans un bain-marie à 102 ° F à feu doux. Porter le lait à 92 ° F pendant 15 minutes. Éteignez le feu.

2. Saupoudrer le démarreur et la poudre de bactéries sur le lait et laisser réhydrater pendant 5 minutes. Bien mélanger à l'aide d'un fouet dans un mouvement de haut en bas. Couvrir et maintenir la température en laissant le lait mûrir pendant 45 minutes. Ajouter le chlorure de calcium et fouetter doucement pendant 1 minute. Ajouter la présure et fouetter doucement pendant 1 minute. Couvrir et laisser reposer, en maintenant la température à 92 ° F pendant 40 à 45 minutes, ou jusqu'à ce que le caillé donne une pause nette.

3. Couper le caillé en morceaux de ¼ de pouce et remuer pendant 20 minutes, puis laisser reposer 5 minutes. Pendant ce temps, chauffer 3 tasses d'eau à 140 ° F. Versez suffisamment de lactosérum pour exposer le dessus du caillé. Ajouter suffisamment d'eau à 140 ° F (environ 1 à 2 tasses) pour amener la température à 100 ° F. À feu doux, augmentez lentement la température à 108 ° F en 30 minutes, en remuant doucement le caillé.

4. Lorsque les caillés atteignent 108 ° F, cessez de remuer et laissez-les se déposer. Maintenez à cette température pendant 20 minutes.

5. Placez une passoire sur un bol ou un seau assez grand pour capturer le lactosérum. Tapissez-le d'une étamine humide et versez-y doucement le caillé. Laisser égoutter 5 minutes,transférer ensuite le caillé, le tissu et tout le reste dans un moule à tomme de 8 pouces.

6. Tirez l'étamine autour du caillé, serré et lisse. Pliez les queues de tissu sur le caillé et placez le suiveur sur le dessus. Appuyez à 10 livres pendant 30 minutes. Retirer le fromage du moule, déballer l'étamine, retourner le fromage, le redresser, puis presser à 15 livres pendant 8 heures ou toute la nuit.

7. Pendant ce temps, préparez une saumure presque saturée solution dans un récipient non corrosif avec couvercle et réfrigérer entre 50 ° F et 55 ° F.

8. Retirez le fromage du moule et du chiffon. Placez-le dans la saumure, couvrez et laissez tremper entre 50 ° F et 55 ° F pendant 12 heures, en le retournant une fois. Retirer de la saumure et sécher en tapotant.

9. Placer sur une grille de séchage, couvrir lâchement d'une étamine et sécher à l'air libre à température ambiante pendant 2 jours ou jusqu'à ce que la surface soit sèche au toucher. Retourner le fromage au moins deux fois pendant ce temps pour uniformiser le séchage.

10. Nappez de 2 à 3 couches de cire à fromage.

11. Placez le fromage ciré dans une boîte de maturation ouverte ou sur une étagère pour mûrir à 50 ° F et 85 pour cent d'humidité pendant 2 semaines, en basculant tous les jours. Après 2 semaines, continuez la maturation à la température plus chaude de 65 ° F et 80 pour cent d'humidité pendant 4 à 6 semaines. Le fromage peut être consommé à ce stade ou déplacé au réfrigérateur pour vieillir pendant encore 3 à 4 mois.

38. Manchego au safran

FAIT 2 livres

- ⅛ cuillère à café de fils de safran
- 2 gallons de lait de vache entier pasteurisé
- 1 cuillère à café de culture starter mésophile en poudre MM 100
- 1 cuillère à café de culture starter thermophile en poudre Thermo B
- 1 cuillère à café de poudre de lipase douce diluée dans ¼ tasse d'eau fraîche non chlorée (facultatif)

- 1 cuillère à café de chlorure de calcium dilué dans ¼ d'eau froide non chlorée
- 1 cuillère à café de présure liquide diluée dans ¼ tasse d'eau fraîche non chlorée

- 1 cuillère à café de paprika doux
- 1 tasse d'huile d'olive

1. Dans une marmite non réactive de 10 litres, incorporer le safran au lait, puis chauffer à feu doux à 86 ° F; cela devrait prendre environ 15 minutes. Éteignez le feu.

2. Saupoudrer les cultures starter sur le lait et laisser réhydrater pendant 5 minutes.

3. Bien mélanger à l'aide d'un fouet dans un mouvement de haut en bas. Couvrir et maintenir à 86 ° F, en laissant le lait mûrir pendant 45 minutes. Ajoutez la lipase, si vous l'utilisez (elle donne une saveur et un arôme plus forts), en la fouettant doucement.

4. Ajouter le chlorure de calcium et fouetter doucement, puis ajouter la présure et fouetter doucement pendant 1 minute. Couvrir et laisser reposer, en maintenant 86 ° F pendant 30 à 45 minutes, ou jusqu'à ce que le caillé donne une pause nette.

5. Maintien toujours 86 °F, couper le caillé en morceaux de ½ pouce et laisser reposer 5 minutes. Coupez les caillés en morceaux de la taille du riz en les remuant doucement avec un fouet en acier inoxydable. En passant à une spatule en caoutchouc, remuez lentement sur les bords du pot, en gardant le caillé en mouvement pendant environ 30 minutes pour libérer le lactosérum et raffermir le caillé.

6. À feu doux, porter le caillé à 104 ° F en 30 minutes, en remuant doucement avec une spatule en caoutchouc pour éviter que le caillé ne se mette en une seule masse. Le lactosérum sera d'une couleur jaune verdâtre clair et seulement légèrement trouble.

7. Éteignez le feu lorsque la température atteint 104 ° F et laissez le caillé reposer pendant 5 minutes. Le caillé coulera au fond. Louchez suffisamment de lactosérum pour exposer le caillé.

8. Placez une passoire sur un bol ou un seau assez grand pour capturer le lactosérum. Tapissez-le de mousseline de beurre humide et versez-y délicatement le caillé. Laisser égoutter pendant 15 minutes ou jusqu'à ce que le lactosérum cesse de couler.

9. Transférer doucement le sac de caillé égoutté dans un moule à tomme de 8 pouces. Tirez le chiffon fermement et lissez autour du caillé, couvrez-le avec les queues de tissu et placez le suiveur sur le dessus. Appuyez à 15 livres pendant 15 minutes.

10. Retirer le fromage du moule, déballer le chiffon, essuyer le fromage et redresser. Appuyez à nouveau à 15 livres pendant 15 minutes. Répétez ce processus une fois de plus, puis ip et redressez le fromage et appuyez à 30 livres pendant 8 heures ou toute la nuit.

11. Faire 3 litres de moyennement saturé saumure dans un récipient non corrosif avec un couvercle et refroidir à 50 ° F à 55 ° F. Retirez le fromage du moule et du chiffon. Placez-le dans la saumure et laissez tremper entre

50 ° F et 55 ° F pendant 6 à 8 heures. Retirez le fromage de la saumure et séchez-le.

12. Placez le fromage sur un tapis de séchage dans une boîte de maturation non couverte et vieillissez à 55 ° F et 80 à 85 pour cent d'humidité pendant 10 jours à 3 mois, en basculant tous les jours. Retirez toute moisissure indésirable avec une étamine imbibée d'une solution de vinaigre-sel.
13. Lorsque le fromage a atteint la maturité désirée, mélanger le paprika et l'huile d'olive et frotter le fromage avec ce mélange. Emballer et conserver au réfrigérateur.

39. Parmesan

FAIT 1¾ livres

- 2 gallons de lait de vache pasteurisé à teneur réduite en matières grasses (2 pour cent)
- ¼ cuillère à café de culture starter thermophile en poudre Thermo B
- 1 cuillère à café de chlorure de calcium dilué dans ¼ tasse d'eau fraîche non chlorée

- 1 cuillère à café de présure liquide diluée dans ¼ tasse d'eau fraîche non chlorée Sel casher (de préférence de marque Diamond Crystal) ou sel de fromage pour le saumurage Huile d'olive pour frottement

1. Chauffer le lait dans une marmite non réactive de 10 pintes dans un bain-marie à 104 ° F à feu doux. Porter le lait à 94 ° F pendant 20 minutes. Éteignez le feu.

2. Saupoudrez le démarreur sur le lait et laissez-le se réhydrater pendant 5 minutes. Bien mélanger à l'aide d'un fouet dans un mouvement de haut en bas. Couvrir et maintenir la température en laissant le lait mûrir pendant 45 minutes. Ajouter le chlorure de calcium et fouetter doucement pendant 1 minute. Ajouter la présure et fouetter doucement pendant 1 minute. Couvrir et laisser reposer, en maintenant 94 ° F pendant 45 minutes, ou jusqu'à ce que le caillé donne une pause nette.

3. Utilisant un fouettez, coupez le caillé en morceaux de la taille d'un pois et laissez reposer pendant 10 minutes. À feu doux, augmentez lentement la température à 124 ° F pendant 1 heure, en remuant continuellement le caillé pour le raffermir. Une fois que 124 ° F a été atteint, arrêtez de remuer et laissez le caillé se déposer et se mater. Couvrir et maintenir à 124 ° F pendant 10 minutes.

4. Tapisser une passoire de mousseline de beurre humide et y verser le caillé. Laisser égoutter 5 minutes,transférer ensuite le caillé, le torchon et le tout,

dans un moule à tomme de 5 pouces et laisser égoutter pendant quelques minutes.

5. Tirez sur le chiffon et lissez les plis, pliez les queues du chiffon sur le caillé et placez le suiveur sur le dessus. Appuyez à 10 livres pendant 30 minutes. Retirer le fromage du moule, le ripper et le redresser, puis presser à nouveau à 10 livres pendant 1 heure. Retirez à nouveau du moule, Hip, et redressez le fromage, puis appuyez à 20 livres pendant 12 heures.

6. Faire 2 litres de quasi-saturé saumure et réfrigérer à 50 ° F à 55 ° F. Retirez le fromage du moule et du chiffon et placez-le dans la saumure pour qu'il trempe entre 50 ° F et 55 ° F pendant 12 heures, en le basculant une fois pendant ce temps.

7. Retirez le fromage de la saumure et séchez-le. Placer sur une grille de séchage, couvrir d'une étamine et sécher à l'air à température ambiante pendant 2 à 3 jours, ou jusqu'à ce que la surface soit sèche au toucher, en retournant chaque jour.

8. Placer sur un tapis dans une boîte de maturation et mûrir à 50 ° F à 55 ° F et 85 pour cent d'humidité, en basculant tous les jours, pendant 2 semaines. Retourner deux fois par semaine pour le mois suivant, puis une fois par semaine pour la durée de la maturation. Retirez toute moisissure indésirable avec une étamine imbibée d'une solution de vinaigre-sel.

9.   Après 3 mois de maturation, frottez la surface avec de
       l'huile d'olive. Remettre le fromage dans la caisse
       d'affinage et faire vieillir pendant 7 mois au total, ou
       jusqu'à ce que la maturité désirée soit atteinte, en versant
       une fois par semaine et en frottant avec de l'huile d'olive
       une fois par mois. Emballer et conserver au réfrigérateur.

40. Romano

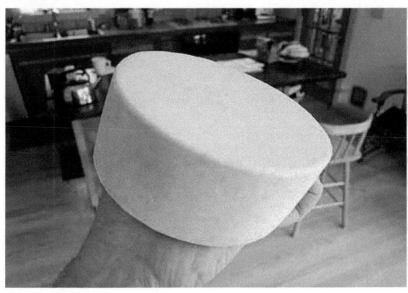

FAIT 2 livres

- 1 gallon de lait de vache entier pasteurisé
- 1 gallon de lait de chèvre pasteurisé
- ¼ cuillère à café de culture starter thermophile en poudre Thermo B
- 1 cuillère à café de poudre de capalase lipase dissoute dans ¼ tasse d'eau froide non chlorée avant utilisation (facultatif)

- 1 cuillère à café de chlorure de calcium dilué dans ¼ tasse d'eau fraîche non chlorée
- 1 cuillère à café de présure liquide diluée dans ¼ tasse d'eau fraîche non chlorée Sel casher (de préférence de

146

marque Diamond Crystal) ou sel de fromage pour le saumurage Huile d'olive pour frottement

1. Chauffer les laits dans une marmite non réactive de 10 pintes dans un bain-marie à 100 ° F à feu doux. Porter le lait à 90 ° F pendant 20 minutes. Éteignez le feu.

2. Saupoudrez le démarreur sur le lait et laissez-le se réhydrater pendant 5 minutes. Bien mélanger à l'aide d'un fouet dans un mouvement de haut en bas. Couvrir et maintenir 90 ° F, en laissant le lait mûrir pendant 30 minutes. Ajoutez la lipase, si vous en utilisez, et fouettez doucement. Ajoutez le chlorure de calcium et fouettez doucement pendant 1 minute. Ajouter la présure et fouetter doucement pendant 1 minute. Couvrir et laisser reposer en maintenant 90 ° F pendant 1heure, ou jusqu'à ce que le caillé donne une pause nette.

3. Coupez le caillé en morceaux de ¼ de pouce et laissez reposer pendant 5 minutes. À feu doux, augmentez lentement la température à 117 ° F en 40 à 50 minutes, en remuant continuellement le caillé pour le faire monter. Une fois que 117 ° F a été atteint, arrêtez de remuer et laissez le caillé se déposer. Couvrir et maintenir 117 ° F pendant 30 minutes.

4. Tapisser une passoire de mousseline de beurre humide et y verser le caillé. Laisser égoutter 5 minutes,transférer ensuite le caillé, le tissu et le tout dans un moule à tomme de 5 pouces. Tirez sur le chiffon et lissez les plis, pliez les queues du chiffon sur le caillé et

placez le suiveur sur le dessus. Appuyez à 10 livres pendant 30 minutes. Retirer le fromage du moule, le ripper et le redresser, puis presser à nouveau à 10 livres pendant 1 heure. Encore une fois, retirez, ip et redressez le fromage, puis appuyez à 20 livres pendant 12 heures.

5.   Faire 2 litres de quasi-saturé saumure et réfrigérer à 50 ° F à 55 ° F. Retirez le fromage du moule et du chiffon et placez-le dans la saumure pour qu'il trempe entre 50 ° F et 55 ° F pendant 12 heures, en le basculant une fois pendant ce temps.

6.   Retirez le fromage de la saumure et séchez-le. Placer sur une grille de séchage, couvrir d'une étamine et sécher à l'air à température ambiante pendant 2 jours, ou jusqu'à ce que la surface soit sèche au toucher, en inclinant chaque jour.

7.   Placez le fromage sur un tapis de fromage dans une boîte d'affinage et faites-le mûrir à une température de 50 ° F à 55 ° F et à 85% d'humidité, en basculant quotidiennement pendant 2 semaines. Retourner deux fois par semaine pour le mois suivant, puis une fois par semaine pour la durée de la maturation. Retirez toute moisissure indésirable avec une étamine imbibée d'une solution de vinaigre-sel.

8.   Après 2 mois de maturation, frottez la surface avec de l'huile d'olive. Remettre le fromage dans la caisse d'affinage et faire vieillir pendant 5 mois au total, ou jusqu'à ce que la maturité désirée soit atteinte, en versant

une fois par semaine et en frottant avec de l'huile d'olive une fois par mois. Emballer et conserver au réfrigérateur.

41. Asiago pepato

FAIT deux roues de 1 livre

- 6 litres de lait de vache entier pasteurisé

- 2 litres de lait de vache pasteurisé à teneur réduite en matières grasses (2 pour cent)
- 1 cuillère à café de culture starter thermophile en poudre Thermo B
- 1 cuillère à café de chlorure de calcium dilué dans ¼ tasse d'eau fraîche non chlorée
- 1 cuillère à café de présure liquide diluée dans ¼ tasse d'eau fraîche non chlorée
- 1½ cuillère à café de grains de poivre noir ou vert (à omettre si vous préparez de l'Asiago nature)
- Sel casher (de préférence de marque Diamond Crystal) ou sel de fromage pour le saumurage

1. Dans une marmite non réactive de 10 litres, chauffer les laits à feu doux à 92 ° F; cela devrait prendre environ 20 minutes. Éteignez le feu.

2. Saupoudrez le démarreur sur le lait et laissez-le se réhydrater pendant 5 minutes. Bien mélanger à l'aide d'un fouet dans un mouvement de haut en bas. Couvrir et maintenir 92 ° F, en laissant le lait mûrir pendant quelques minutes.

3. Ajouter le chlorure de calcium et fouetter doucement pendant 1 minute. Ajouter la présure et fouetter doucement pendant 1 minute. Couvrir et laisser reposer, en maintenant 92 ° F pendant 1 heure, ou jusqu'à ce que le caillé donne une pause nette.

4. Coupez le caillé en morceaux de ½ pouce et laissez reposer pendant 5 minutes. À feu doux, augmentez lentement la température à 104 ° F en 40 minutes. Retirer

du feu et remuer pendant quelques minutes pour libérer le lactosérum et réduire le caillé à la taille d'une cacahuète.

5. À feu doux, augmentez lentement la température à 118 ° F, en remuant les caillés pour les faire remonter. Une fois que 118 ° F a été atteint, arrêtez de remuer et laissez le caillé se déposer. Couvrir et maintenir à 118 ° F pendant 20 minutes.

6. Louche oG assez de lactosérum pour exposer le caillé. Tapisser deux paniers égoutteurs italiens de 4 pouces de large avec une étamine humide et les placer sur une grille d'égouttage. Remplissez chaque moule avec un quart du caillé et laissez égoutter pendant 5 minutes.

7. Couvrir avec les queues de la gaze et presser doucement avec votre main pour compacter le caillé. Déballez et saupoudrez la moitié des grains de poivre sur chaque moule de caillé compacté. Répartissez le caillé restant entre les moules pour recouvrir les grains de poivre et tasser à la main.

8. Tirez l'étamine autour du caillé et repliez-la pour couvrir le dessus. Placez un suiveur sur le dessus de chaque panier de drainage et appuyez à 8 livres pendant 1 heure. Retirer, ip et redresser le fromage, puis presser à 8 livres pendant encore 8 heures.

9. Faire 3 litres de saturé saumure et réfrigérer à 50 ° F à 55 ° F. Retirez les fromages des moules et du chiffon et placez-les dans la saumure pour faire tremper à 50 ° F à 55 ° F pendant 12 heures, les renverser une fois.

10. Retirez les fromages de la saumure et séchez-les. Placer sur une grille de séchage, couvrir lâchement d'une

étamine et sécher à l'air à température ambiante pendant 8 heures, ou jusqu'à ce que la surface soit sèche au toucher, en inclinant les fromages au moins une fois pendant le processus de séchage.

11.   Placez les fromages sur une natte dans une boîte d'affinage avec un couvercle. Couvrir lâchement et mûrir à 54 ° F et 85 pour cent d'humidité, Qtipping tous les jours pendant 1 semaine. Badigeonner avec une saumure simple, refroidie à 50 ° F à 55 ° F, deux fois par semaine pendant les 3 premières semaines de vieillissement.

12. Pour une version vieillie, continuez le processus de brossage une fois par semaine pendant au moins 2 mois et jusqu'à 1 an.

42. Brique américaine

FAIT 2 livres

- 2 gallons de lait de vache entier pasteurisé
- 1 cuillère à café de culture de démarreur mésophile en poudre Meso II
- 1 cuillère à café de chlorure de calcium dilué dans ¼ tasse d'eau fraîche non chlorée
- 1 cuillère à café de présure liquide diluée dans ¼ tasse d'eau fraîche non chlorée

- Sel casher (de préférence de marque Diamond Crystal) ou sel de fromage pour le saumurage

1. Dans une marmite non réactive de 10 litres, chauffer le lait à feu doux à 88 ° F; cela devrait prendre environ 20 minutes. Éteignez le feu.

2. Saupoudrez le démarreur sur le lait et laissez-le se réhydrater pendant 5 minutes. Bien mélanger à l'aide d'un fouet dans un mouvement de haut en bas. Couvrir et maintenir 88 ° F, en laissant le lait mûrir pendant 15 minutes. Ajouter le chlorure de calcium et fouetter doucement pendant 1 minute. Ajouter la présure et fouetter doucement pendant 1 minute. Couvrir et laisser reposer, en maintenant 88 ° F pendant 30 à 45 minutes, ou jusqu'à ce que le caillé donne une pause nette.

3. Toujours à 88 ° F, couper le caillé en morceaux de ½ pouce et laisser reposer 5 minutes. À feu doux, porter lentement le caillé à 98 ° F en 45 minutes. Remuer continuellement pour empêcher le caillé de se mater; ils libéreront du lactosérum, se raffermiront légèrement et se rétréciront à la taille des cacahuètes.

4. Une fois que le caillé est à 98 ° F, éteignez le feu, maintenez la température et laissez le caillé reposer pendant 25 minutes; ils couleront au fond.

5. Tapisser une passoire de mousseline de beurre humide et y verser le caillé. Laisser égoutter 5

minutes,transférer ensuite le caillé, le tissu et tout le reste dans un moule à tomme de 8 pouces.

6. Soulevez le chiffon et lissez les plis, couvrez le caillé avec les queues de tissu, placez le suiveur sur le dessus et appuyez à 5 livres pendant 15 minutes. Retirez le fromage, déballez, ipez et réparez, puis appuyez à nouveau à 10 livres pendant 12 heures.

7. Faire 3 litres de quasi-saturé saumure et réfrigérer à 50 ° F à 55 ° F. Retirez le fromage du moule et du chiffon et placez-le dans la saumure pour qu'il trempe entre 50 ° F et 55 ° F pendant 2 heures.

8. Retirez le fromage de la saumure et séchez-le. Sécher à l'air sur un tapis de fromage à température ambiante pendant environ 24 heures pour sécher et mettre en place la croûte. Frottez toutes les taches de moisissure qui pourraient se développer avec une solution de sel et de vinaigre distillé.

9. Cirer le fromage et vieillir à 50 ° F et 85 pour cent d'humidité jusqu'à 4 mois, Wtipping le fromage une fois par semaine pour un affinage uniforme.

43. Caerphilly

FAIT 2 livres

- 2 gallons de lait de vache entier pasteurisé
- 1 cuillère à café de culture starter mésophile en poudre MA 4001

- 1 cuillère à café de culture starter mésophile en poudre Aroma B

- 1 cuillère à café de chlorure de calcium dilué dans ¼ tasse d'eau fraîche non chlorée
- 1 cuillère à café de présure liquide diluée dans ¼ tasse d'eau fraîche non chlorée Sel casher (de préférence de marque Diamond Crystal) ou sel de fromage pour le saumurage

1. Dans une marmite non réactive de 10 litres, chauffer le lait à feu doux à 90 ° F; cela devrait prendre environ 20 minutes. Éteignez le feu.

2. Saupoudrer les cultures starter sur le lait et laisser réhydrater pendant 5 minutes. Bien mélanger à l'aide d'un fouet dans un mouvement de haut en bas. Couvrir et maintenir 90 ° F, en laissant le lait mûrir pendant 1 heure. Ajouter le chlorure de calcium et fouetter doucement pendant 1 minute. Ajouter la présure et fouetter doucement pendant 1 minute. Couvrir et laisser reposer, en maintenant 90 ° F pendant 45 à 55 minutes, ou jusqu'à ce que le caillé donne une pause nette.

3. Toujours à 90 ° F, couper le caillé en morceaux de ½ pouce et laisser reposer 5 minutes. À feu doux, porter lentement le caillé à 95 ° F en 20 minutes. Remuer continuellement pour empêcher le caillé de se mater; ils libéreront du lactosérum, se raffermiront légèrement et se rétréciront à la taille des cacahuètes.

4. Une fois que le caillé est à 95 ° F, éteignez le feu, maintenez la température et laissez reposer le caillé pendant 45 minutes; ils couleront au fond.

5. Louchez suffisamment de lactosérum du pot pour exposer le dessus du caillé. Tapisser une passoire de mousseline de beurre humide et y verser le caillé. Laisser égoutter pendant 5 minutes.

6. Transférer le caillé, le chiffon et le tout dans un moule à tomme de 8 pouces. Soulevez le chiffon et lissez les plis, couvrez le caillé avec les queues de tissu, placez le suiveur sur le dessus et appuyez à 8 livres pendant 30 minutes. Retirer le fromage du moule, déballer,Hanche, et redresser, puis appuyez à nouveau à 10 livres pendant 12 heures.

7. Faire 3 litres de mi-lourd saumure et réfrigérer à 50 ° F à 55 ° F. Retirez le fromage du moule et du chiffon et placez-le dans la saumure pour qu'il trempe entre 50 ° F et 55 ° F pendant 8 heures.

8. Retirez le fromage de la saumure et séchez-le. Sécher à l'air sur un tapis à fromage à température ambiante pendant environ 24 heures ou jusqu'à ce que la surface soit sèche au toucher. Frottez toutes les taches de moisissure qui pourraient se développer avec une solution de sel et de vinaigre distillé.

9. Placez le fromage sur une natte dans une boîte d'affinage et faites-le mûrir entre 50 ° F et 55 ° F et 85% d'humidité, en basculant tous les jours. Après 10 à 14 jours, une moisissure grise blanchâtre apparaîtra. Une fois que cela se produit, ip le fromage deux fois par semaine

jusqu'à ce qu'une croûte se forme. Brossez la surface deux fois par semaine en même temps que vous Pipettez le fromage pour favoriser la croissance des moisissures.

10. Badigeonner avec une liasse d'étamine sèche ou une brosse à ongles souple dédiée humidifiée dans de la saumure simple avec l'excès d'humidité éliminé. Après 3 semaines après le début de l'affinage, le fromage commencera à ramollir sous la croûte.

11. À consommer à 2 mois pour une saveur forte, ou à mûrir plus longtemps - jusqu'à 6 mois - pour une saveur plus piquante.

44. Colby

FAIT 2 livres

- 2 gallons de lait de vache entier pasteurisé

- ½ cuillère à café de culture de démarreur mésophile en poudre Meso II
- 1 cuillère à café de rocou liquide dilué dans ¼ tasse d'eau fraîche non chlorée
- ½ cuillère à café de chlorure de calcium dilué dans ¼ tasse d'eau fraîche non chlorée
- ½ cuillère à café de présure liquide diluée dans ¼ tasse d'eau fraîche non chlorée
- Sel casher (de préférence de marque Diamond Crystal) ou sel de fromage pour le saumurage

1. Dans une marmite non réactive de 10 litres, chauffer le lait à feu doux à 86 ° F; cela devrait prendre environ 15 minutes. Éteignez le feu.

2. Saupoudrez le démarreur sur le lait et laissez-le se réhydrater pendant 5 minutes. Bien mélanger à l'aide d'un fouet dans un mouvement de haut en bas.

3. Couvrir et maintenir 86 ° F, en laissant le lait mûrir pendant 1 heure. Ajouter le rocou et fouetter doucement pendant 1 minute. Ajouter le chlorure de calcium et fouetter doucement pendant 1 minute, puis incorporer la présure de la même manière. Couvrir et laisser reposer, en maintenant 86 ° F pendant 30 à 45 minutes, ou jusqu'à ce que le caillé donne une pause nette.

4. Maintien toujours 86 °F, couper le caillé en morceaux de ½ pouce et laisser reposer 5 minutes. À feu doux, porter lentement le caillé à 104 ° F en 50 minutes. Remuer continuellement pour empêcher le caillé de se

mater; ils libéreront du lactosérum, se raffermiront légèrement et se rétréciront à la taille des cacahuètes.

5.   Une fois que le caillé est à 104 ° F, éteignez le feu, maintenez la température et laissez le caillé reposer pendant 15 minutes; ils couleront au fond.

6.   Dans une tasse à mesurer, versez suffisamment de lactosérum pour exposer le caillé. Remplacez le petit-lait par la même quantité d'eau à 104 ° F. Remuez doucement pendant 2 minutes, puis couvrez et laissez reposer le caillé pendant 10 minutes.

7.   Tapisser une passoire de mousseline de beurre humide et y verser le caillé. Laisser égoutter pendant 5 minutes.

8.   Tapisser un moule à tomme de 5 pouces avec une étamine humide et transférer doucement le caillé égoutté dans le moule.

9. Soulevez le chiffon et lissez les plis, couvrez le caillé avec les queues de tissu, placez le suiveur sur le dessus et appuyez à 5 livres pendant 1 heure. Retirer le fromage du moule, le déballer, le déposer et le redresser, puis presser à nouveau à 10 livres pendant 12 heures.

10.   Faire 4 litres de mi-lourd saumure et réfrigérer à 50 ° F à 55 ° F. Retirez le fromage du moule et du chiffon et placez-le dans la saumure pour qu'il trempe entre 50 ° F et 55 ° F pendant 8 heures.

11. Retirez le fromage de la saumure et séchez-le. Sécher à l'air à température ambiante sur un tapis à fromage pendant environ 24 heures ou jusqu'à ce que la surface soit sèche au toucher. Frottez toutes les taches de moisissure qui pourraient se développer avec une solution de sel et de vinaigre distillé.

12. Cirer le fromage et vieillir à 50 ° F et 80 à 85 pour cent d'humidité pendant 6 semaines à 2 mois, en renversant le fromage une fois par semaine pour un affinage uniforme.

45. Cheddar en grains de bière

FAIT 2 livres

- 2 gallons de lait de vache entier pasteurisé
- ½ cuillère à café de culture de démarreur mésophile en poudre Meso II
- 1 cuillère à café de rocou liquide dilué dans ¼ tasse d'eau froide non chlorée (facultatif)
- ½ cuillère à café de chlorure de calcium dilué dans ¼ tasse d'eau fraîche non chlorée
- ½ cuillère à café de présure liquide diluée dans ¼ tasse d'eau fraîche non chlorée
- Une bouteille de bière brune ou stout de 12 onces à température ambiante
- 1 cuillère à soupe de sel casher (de préférence de marque Diamond Crystal) ou de sel au fromage

1. Chauffer le lait dans une marmite non réactive de 10 pintes dans un bain-marie à 98 ° F à feu doux. Porter le lait à 88 ° F pendant 10 minutes. Éteignez le feu.

2. Saupoudrez le démarreur sur le lait et laissez-le se réhydrater pendant 5 minutes. Bien mélanger à l'aide d'un fouet dans un mouvement de haut en bas. Couvrir et maintenir 88 ° F, en laissant le lait mûrir pendant 45 minutes. Ajoutez l'annatto, si vous en utilisez, et fouettez doucement pendant 1 minute. Ajouter le chlorure de calcium et fouetter doucement pendant 1 minute, puis incorporer la présure de la même manière. Couvrir et laisser reposer, en maintenant 88 ° F pendant 30 à 45 minutes, ou jusqu'à ce que le caillé donne une pause nette.

3. Toujours à 88 ° F, couper le caillé en morceaux de ½ pouce et laisser reposer 5 minutes. À feu doux, porter lentement le caillé à 102 ° F en 40 minutes. Remuer

continuellement pour empêcher le caillé de se mater; ils libéreront du lactosérum, se raffermiront légèrement et se rétréciront à la taille des cacahuètes.

4.   Une fois que le caillé est à 102 ° F, éteignez le feu, maintenez la température et laissez le caillé reposer pendant 30 minutes; ils couleront au fond.

5.   Placez une passoire sur un bol ou un seau assez grand pour capturer le lactosérum. Tapissez-le de mousseline de beurre humide et versez-y le caillé. Laisser égoutter 10 minutes ou jusqu'à ce quele lactosérum cesse de basculer. Réservez un tiers du lactosérum et remettez-le dans le pot.

6.   Remettre le petit-lait dans le pot à 102 ° F. Placez le caillé dans une passoire, placez la passoire sur la casserole et couvrez. En maintenant soigneusement la température de 102 ° F du lactosérum, attendez quelques minutes que le caillé fondre en une plaque.

7. Retournez la tranche de caillé et répétez toutes les 15 minutes pendant 1 heure. Le caillé doit maintenir une température de 95 ° F à 100 ° F à partir du lactosérum chauffé ci-dessous et continuer à expulser le lactosérum dans le pot. Après 1 heure, le caillé aura l'air brillant et blanc, comme du poulet poché.

8.   Transférer la tranche chaude de caillé sur une planche à découper et couper en 2 lanières de ½ pouce, comme des frites. Placez les bandes chaudes dans un bol et couvrez complètement d'infusion. Faites tremper pendant

45 minutes. Égouttez et jetez l'infusion. Saupoudrez le sel sur le caillé et mélangez doucement.

9.   Ligne un moule à tomme de 5 pouces avec une étamine humide. Emballez le caillé égoutté dans le moule, couvrez avec les queues de tissu, placez le suiveur sur le dessus et appuyez sur à 8 livres pendant 1 heure. Retirer le fromage du moule, déballer, déchirer et redresser, puis presser à 10 livres pendant des heures.

10.   Retirez le fromage du moule et du chiffon et séchez-le. Sécher à l'air sur un tapis de fromage à température ambiante pendant 1 à 2 jours, ou jusqu'à ce que la surface soit sèche au toucher.

11.   Cirer le fromage et faire mûrir à 50 ° F à 55 ° F et 85 pour cent d'humidité pendant 4 à 6 semaines, en inclinant le fromage tous les jours pour un affinage uniforme.

46. Fromage en grains cheddar-jalapeño

FAIT 1 livre

- 1 gallon de lait de vache entier pasteurisé
- ⅛ cuillère à café de culture de démarreur mésophile en poudre Meso II
- 1 cuillère à café de chlorure de calcium dilué dans 2 cuillères à soupe d'eau froide non chlorée
- 1 cuillère à café de présure liquide diluée dans 2 cuillères à soupe d'eau froide non chlorée
- 1 cuillère à soupe plus ½ cuillère à café de sel casher (de préférence de marque Diamond Crystal) ou de sel au fromage
- 1 boîte (4 onces) de jalapeños en dés, égouttés
- ½ à 1 cuillère à café de râteaux de poivrons rouges

1. Chauffer le lait dans une marmite non réactive de 6 pintes dans un bain-marie à 98 ° F à feu doux.

2. Porter le lait à 88 ° F pendant 12 minutes. Éteignez le feu.

3. Saupoudrez le démarreur sur le lait et laissez-le se réhydrater pendant 5 minutes. Bien mélanger à l'aide d'un fouet dans un mouvement de haut en bas. Couvrir et maintenir 88 ° F, en laissant le lait mûrir pendant 45 minutes. Ajouter le chlorure de calcium et fouetter doucement. Ajouter la présure et fouetter doucement. Couvrir et laisser reposer, en maintenant 86 ° F à 88 ° F pendant 40 minutes, ou jusqu'à ce que le caillé donne une pause nette.

4. Coupez le caillé en morceaux de ½ pouce et laissez-les reposer 5 minutes. À feu doux, porter lentement le caillé à 102 ° F pendant environ 30 minutes, en remuant pour réduire le caillé à la taille d'une arachide. Tourhors du feu et maintenez 102 ° F pendant 30 minutes, en remuant toutes les deux minutes pour éviter les nattes.

5. Testez la texture du caillé: pressez une cuillerée de caillé dans votre Xst; ils devraient se regrouper. Maintenant, écartez-les avec votre pouce; s'ils se séparent, vous êtes prêt à continuer. Laissez le caillé reposer pendant 15 minutes.

6. Placez une passoire sur un bol ou un seau assez grand pour capturer le lactosérum. Tapissez-le de mousseline de

beurre humide et versez-y le caillé. Laisser égoutter pendant 10 minutes ou jusqu'à ce que le lactosérum cesse de basculer. Remettez le petit-lait dans le pot.

7. Remettre le petit-lait dans le pot à 102 ° F. Placez le caillé dans une passoire, placez la passoire sur la casserole et couvrez.

8. En maintenant soigneusement la température de 102 ° F du lactosérum, attendez quelques minutes que le caillé fondre en une plaque. Retournez la tranche de caillé et répétez toutes les 15 minutes pendant 1 heure. Le caillé doit maintenir une température de 98 ° F à 100 ° F à partir du lactosérum chauffé ci-dessous et continuer à expulser le lactosérum dans le pot. Après 1 heure, le caillé aura l'air brillant et blanc, comme du poulet poché.

9. Transférer la tranche chaude de caillé sur une planche à découper et couper en 2 lanières de ½ pouce, comme des frites. Placez les lanières chaudes dans un bol, ajoutez 1 cuillère à soupe de sel et mélangez avec vos mains. Mettez le caillé salé dans une passoire au-dessus d'un bol pour sécher, à découvert, pendant 12 à 24 heures à température ambiante.

10. Placez le caillé dans un grand bol. Incorporer délicatement la ½ cuillère à café de sel, les piments jalapeños et les merlus au poivron rouge. Conserver le caillé dans un sac refermable ou sous vide et réfrigérer. Ils se conservent 1 à 2 semaines au réfrigérateur.

47. Cheddar fort

4 POUCES ROND

- 1 tasse de noix de cajou crues

- 1/4 tasse d'huile de noix de coco raffinée, et plus pour graisser la poêle

- 1 tasse d'amandes crues

- 1 tasse d'eau filtrée

- 1/4 tasse de fécule de tapioca modifiée

- Bêta-carotène de 3 capsules de gel de bêta-carotène, pressé hors des capsules de gel 1 cuillère à café de sel de l'Himalaya

- 2½ cuillères à soupe de flocons d'agar-agar

- 1 cuillère à soupe de vinaigre de cidre de pomme

Les directions:

a) Placez les noix de cajou dans de l'eau filtrée dans un petit bol. Couvrir et réfrigérer toute la nuit.

b) Huiler légèrement un moule à ressort de 4 pouces avec de l'huile de noix de coco.

c) Porter 4 tasses d'eau à ébullition dans une casserole moyenne à feu moyen-vif. Ajouter les amandes et les blanchir 1 minute. Égouttez les amandes dans une passoire et retirez les peaux avec vos doigts (vous pouvez composter les peaux).

d) Égouttez les noix de cajou. Dans le pichet d'un Vitamix, placez les noix de cajou, les amandes, l'eau, l'amidon de tapioca modifié, le bêta-carotène, l'huile de coco, le sel et l'agar-agar.

e) Mélanger à haute vitesse pendant 1 minute ou jusqu'à consistance lisse.

f) Transférer le mélange dans une petite casserole et chauffer à feu moyen-doux, en remuant continuellement, jusqu'à ce qu'il devienne épais et de consistance semblable à du fromage. (Vous pouvez utiliser un thermomètre et chauffer le mélange à environ 145 degrés F.Voirici pour obtenir des conseils sur cette technique.)

g) Incorporez le vinaigre.

h) Versez le fromage dans le moule de forme printanière préparé. Laissez-le refroidir, puis placez-le au réfrigérateur pendant la nuit pour qu'il se prépare.

i) Passez un couteau bien aiguisé autour du bord intérieur de la casserole. Relâchez la boucle et retirez l'anneau du moule. À l'aide du bord plat d'un grand couteau, séparez le fromage du rond métallique inférieur et transférez-le sur une planche à découper. Avec un couteau très aiguisé, trancher le fromage et servir.

j) Si vous voulez râper ce fromage, sortez-le du moule et placez-le dans un humidificateur ou un refroidisseur à vin à 54 degrés F pendant 1 à 3 semaines. Salez votre fromage tous les quelques jours pour éviter la formation de moisissure noire.

k) Lorsque vous sentez que votre fromage est suffisamment vieilli, coupez le rond en 8 petits quartiers, placez-le dans une pellicule plastique et transférez-le au réfrigérateur pendant 24 heures. Râpez les petits quartiers de fromage sur une grande râpe.

48. Cheddar de ferme à la ciboulette

FAIT 2 livres

- 2 gallons de lait de vache entier pasteurisé
- ½ cuillère à café de culture de démarreur mésophile en poudre Meso II
- 1 cuillère à café de rocou liquide dilué dans ¼ tasse d'eau fraîche non chlorée
- ½ cuillère à café de chlorure de calcium dilué dans ¼ tasse d'eau fraîche non chlorée
- ½ cuillère à café de présure liquide diluée dans ¼ tasse d'eau fraîche non chlorée
- Sel casher (de préférence de marque Diamond Crystal) ou sel au fromage
- 2 cuillères à café de ciboulette séchée

1. Chauffer le lait dans une marmite non réactive de 10 pintes dans un bain-marie à 96 ° F à feu doux. Porter le lait à 86 ° F pendant 10 minutes. Éteignez le feu.

2. Saupoudrez le démarreur sur le lait et laissez-le se réhydrater pendant 5 minutes. Bien mélanger à l'aide d'un fouet dans un mouvement de haut en bas. Couvrir et maintenir 86 ° F, en laissant le lait mûrir pendant 1 heure. Ajouter le rocou et fouetter doucement pendant 1 minute. Ajouter le chlorure de calcium et fouetter doucement pendant 1 minute, puis incorporer la présure de la même manière. Couvrir et laisser reposer, en maintenant 86 ° F pendant 30 à 45minutes, ou jusqu'à ce que le caillé donne une pause nette.

3. Maintien toujours 86 °F, couper le caillé en morceaux de ½ pouce et laisser reposer 5 minutes. À feu doux, porter lentement le caillé à 102 ° F en 40 minutes.

4. Éteignez le feu, maintenez la température et remuez doucement le caillé pendant 20 minutes ou jusqu'à ce qu'il commence à monter. Le caillé sera de la taille des arachides. Toujours en maintenant 104 ° F, laissez le caillé reposer pendant 30 minutes; ils couleront au fond.

5. Louche oQ assez de lactosérum pour exposer le dessus du caillé. Remuer continuellement pendant 15 à 20 minutes, ou jusqu'à ce que le caillé soit emmêlé et adhère ensemble lorsqu'il est pressé dans votre main.

6.   Tapisser une passoire de mousseline de beurre humide et y verser le caillé. Laisser égoutter pendant 5 minutes, puis incorporer 2 cuillères à café de sel et la ciboulette et bien mélanger avec vos mains.

7.   Tapisser un moule à tomme de 8 pouces avec une étamine humide et transférer doucement le caillé égoutté dans le moule recouvert. Soulevez le chiffon et lissez les plis, couvrez le caillé avec les queues de tissu, placez le suiveur sur le dessus et appuyez à 8 livres pendant 1 heure.

8.   Retirer le fromage du moule, déballer, basculer et redresser, puis presser à 10 livres pendant 12 heures.

9.   Faire 3 litres de quasi-saturé saumure et réfrigérer à 50 ° F à 55 ° F. Retirez le fromage du moule et de la gaze et placez-le dans la saumure pour faire tremper entre 50 ° F et 55 ° F pendant 8 heures.

10.   Retirez le fromage de la saumure et séchez-le. Sécher à l'air sur un tapis à fromage à température ambiante pendant environ 24 heures, jusqu'à ce que la surface soit sèche au toucher.

11.   Frottez les taches de moisissure qui pourraient se développer avec une solution de sel et de vinaigre distillé.

12.   Cirer le fromage et vieillir à 50 ° F et 80 à 85 pour cent d'humidité pendant 1 à 2 mois, en renversant le fromage une fois par semaine pour un affinage uniforme.

49. Cheddar irlandais

FAIT 2 livres

- 2 gallons de lait de vache entier pasteurisé
- 1 cuillère à café de culture starter mésophile en poudre MA 4001
- 1 cuillère à café de chlorure de calcium dilué dans ¼ tasse d'eau fraîche non chlorée
- 1 cuillère à café de présure liquide diluée dans ¼ tasse d'eau fraîche non chlorée

- 2 tasses de whisky irlandais à température ambiante
- 1 cuillère à soupe de sel casher (de préférence de la marque Diamond Crystal)

1. Chauffer le lait dans une marmite non réactive de 10 pintes dans un bain-marie à 98 ° F à feu doux. Porter le lait à 88 ° F pendant 10 minutes. Éteignez le feu.

2. Saupoudrez le démarreur sur le lait et laissez-le se réhydrater pendant 5 minutes. Bien mélanger à l'aide d'un fouet dans un mouvement de haut en bas. Couvrir et maintenir 88 ° F, en laissant le lait mûrir pendant 45 minutes. Ajouter le chlorure de calcium et fouetter doucement pendant 1 minute. Ajouter la présure et fouetter doucement pendant 1 minute. Couvrir et laisser reposer, en maintenant 88 ° F pendant 30 à 45 minutes, ou jusqu'à ce que le caillé donne une pause nette.

3. Toujours à 88 ° F, couper le caillé en morceaux de ½ pouce et laisser reposer 5 minutes. À feu doux, porter lentement le caillé à 102 ° F en 40 minutes. Remuer continuellement pour empêcher le caillé de se mater; ils libéreront du lactosérum, se raffermiront légèrement et se rétréciront à la taille des cacahuètes.

4. Une fois que le caillé est à 102 ° F, éteignez le feu, maintenez la température et laissez le caillé reposer pendant 30 minutes; ils couleront au fond.

5. Placez une passoire sur un bol ou un seau assez grand pour capturer le lactosérum. Tapissez-le de mousseline de beurre humide et versez-y le caillé. Laisser égoutter pendant 15 minutes ou jusqu'à ce que le lactosérum cesse de couler. Remettez le petit-lait dans le pot.

6. Remettre le petit-lait dans le pot à 102 ° F. Placez le caillé dans une passoire, placez la passoire sur la casserole et couvrez. En maintenant soigneusement la température de 102 ° F du lactosérum, attendez quelques minutes que le caillé fondre en une plaque. Retournez la tranche de caillé et répétez toutes les 15 minutes pendant 1 heure.

7. Le caillé doit maintenir une température de 95 ° F à 100 ° F à partir du lactosérum chauffé ci-dessous et continuera à expulser le lactosérum dans le pot. Après une heure, le caillé aura l'air brillant et blanc, comme du poulet poché.

8. Transférer la tranche chaude de caillé sur une planche à découper et couper en 2 lanières de ½ pouce, comme des frites. Placez les lanières chaudes dans un bol et ajoutez ¼ de tasse de whisky et le sel. Mélangez doucement avec vos mains pour combiner.

9. Tapisser un moule à tomme de 8 pouces avec une étamine humide. Emballez le caillé égoutté dans le moule, couvrez avec les queues de tissu, placez le suiveur sur le dessus et appuyez à 10 livres pendant 1 heure. Retirer le fromage du moule, déballer, ip et réparation, puis appuyez sur à 15 livres pendant 12 heures.

10. Retirez le fromage du moule et du chiffon, placez-le dans un récipient et couvrez avec les 1¾ tasses de whisky restantes. Couvrez le récipient et placez-le dans un environnement de 55 ° F pendant 8 heures, Xtipping le fromage une fois pendant ce temps.

11. Égouttez le fromage et séchez-le. Jetez le whisky trempé. Placer le fromage sur un tapis à fromage et sécher

à l'air à température ambiante pendant 1 à 2 jours, ou
jusqu'à ce que la surface soit sèche au toucher.

12.   Cirer le fromage et faire mûrir à 50 ° F à 55 ° F et 85
        pour cent d'humidité pendant 2 à 3 mois, en renversant le
        fromage tous les jours pendant la semaine de repos et
        deux fois par semaine par la suite pour un affinage
        uniforme.

50. Cheddar moulu deux fois

1. Dans les cheddars moulus deux fois, le caillé de cheddar
    blanc naturel est cassé ou coupé et pressé deux fois. Le
    cheddar passe par son processus de cheddar initial où le
    caillé est brisé avant le moulage et le pressage. Les caillés
    sont ensuite pressés, saumurés et vieillis jusqu'à une
    maturité souhaitée spécifiée, puis sont cassés ou coupés
    en morceaux (broyés) une seconde fois. À ce stade, le
    caillé moulu est aromatisé en mélangeant avec n'importe

quel nombre d'ingrédients sucrés ou savoureux ou en trempant dans de l'alcool avant d'être moulé et pressé à nouveau. Une fois moulu deux fois, le cheddar est encore vieilli pour s'assurer que les caillés moulus se lient pour former une meule de cheddar.

2. Pour faire du cheddar double moulu aromatisé: Ce processus d'aromatisation peut être appliqué à des cheddars blancs ou orange de bonne qualité achetés en magasin (la même procédure s'applique).

3. Coupez ou déchiquetez le caillé en cubes irréguliers ou en morceaux d'environ ⅜ de pouce à ½ pouce. Placez-les dans un bol et ajoutez l'arôme, en mélangeant doucement mais soigneusement avec vos mains.

4. En règle générale, je suggère d'ajouter un tiers de plus en poids d'un additif en gros morceaux (oignons caramélisés ou canneberges séchées, par exemple) que vous avez du fromage.

5. Pour les herbes ou les épices, la proportion doit être de 1 partie d'herbe ou d'épice pour 6 parties de fromage. Remplissez un moule à cheddar recouvert de tissu ou un presse-fromage avec le fromage aromatisé et appuyez sur les étapes 8 à 10 suivantes pour Brew-Curds Cheddar.

6. Pour faire du cheddar stout ou au whisky, pour chaque livre de fromage, vous utiliserez 10 à 12 onces de bière ou de spiritueux, ou assez pour couvrir le caillé moulu.

7. Faites tremper le caillé pendant 4 à 6 heures, puis égouttez et votre moule ou appuyez sur. Suivez les étapes 8 à 10 pour Brew-Curds Cheddar pour les instructions de pressage et de finition.

8. Puis cirer et conserver entre 50 ° F et 55 ° F et 75% d'humidité ou sceller sous vide et réfrigérer. Laisser vieillir le nouveau fromage pendant au moins 2 semaines ou jusqu'à quelques mois avant de le consommer

CONCLUSION

Le fromage est une bonne source de calcium, un nutriment clé pour la santé des os et des dents, la coagulation du sang, la cicatrisation des plaies et le maintien d'une tension artérielle normale. ... Une once de fromage cheddar fournit 20 pour cent de ces besoins quotidiens. Cependant, le fromage peut également être riche en calories, en sodium et en graisses saturées. Le fromage est délicieux aussi !!

De plus en plus de preuves indiquent que manger une petite quantité de fromage après un repas peut potentiellement aider à prévenir la carie dentaire et favoriser la reminéralisation de l'émail. Non seulement le fromage contient une bonne quantité de calcium, qui soutient des dents fortes et saines, le fromage aide à créer plus de salive dans la bouche, ce qui aide à éliminer les particules de nourriture collées à vos dents afin qu'elles n'aient aucune chance de s'installer et de provoquer des taches. . Les fromages à pâte dure, comme le cheddar, sont les plus efficaces, alors ajoutez 1 once. morceau après un repas qui comprend des aliments qui tachent les dents.

Lorsqu'il est fabriqué correctement, le fromage fait maison est souvent meilleur pour vous que les fromages achetés en magasin ou dans le commerce, car ils ne contiennent pas autant d'agents de conservation ou d'autres ingrédients artificiels nocifs.

Lightning Source UK Ltd.
Milton Keynes UK
UKHW020743030621
384855UK00001B/260